JN065674

芸術祭の危機管理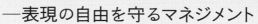
——表現の自由を守るマネジメント

吉田隆之 =著

水曜社

はじめに

　あいちトリエンナーレ2019では、「表現の不自由展・その後」の一部の作品を攻撃する電凸・メール、脅迫などで、展示が中止される事態となった。2019年9月末には、文化庁があいちトリエンナーレの補助金約7,800万円全額を不交付とした。それでも、市民、ボランティア、アーティスト、芸術監督、行政などの連帯で、展示を再開し、幕を閉じることができた。

　こうした事態は、芸術祭・アートプロジェクトの運営に関わる者にとって他人ごとではない。《平和の少女像》のような政治・社会性の強い作品を展示・公演すれば、電凸の攻撃対象になるのではないか、助成対象にならないのではないかと自主規制が強まることが予想される。「物議を醸さないマネジメント」が暗に求められる新たなフェーズに入ったとの見方もできよう。

　2020年3月には、愛知県が文化庁と6,600万円余りの減額交付で政治決着を行った。これにより、一応の解決が示されたと捉える向きもある。しかし、そうした解決は、今回の事態が社会の分断と対立を可視化したともいわれたが、寛容や融和をもたらしたのだろうか。もっといえば、表現の自由の前進につながったのだろうか。そうでないならば、どのような処方箋があるのか。改めて、「表現の自由を守るマネジメント」、いわば芸術祭の危機管理が問われている。

　そこで、本書の第1の目的は、芸術祭・アートプロジェクトをはじめとした文化事業、もしくは文化施設関係者、行政の文化担当者に向けて、「表現の自由を守るマネジメントとはなにか」を明らかにすることにある。第10章で、本書の論旨をまとめる形で言及するが、本書の他の目的や、各章の論点とも有機的に関連し、全体を通じたテーマとなっている。

　一方で、あいちトリエンナーレ2019にまつわる事態や争点に関しては、メ

ディア、美術関係者、憲法学をはじめとした専門家など多様な論者による多くの論稿がすでにある。それらに対して、本書は、文化政策の専門家が、全体を俯瞰し、ほぼすべての論点に言及し、統一的に分析し、総括したものとなっている。現時点では類書がないと自負する。

　第1章「あいちトリエンナーレ2019でなにが起きたのか」では、津田大介（あいちトリエンナーレ2019芸術監督／ジャーナリスト）へのインタビューを交えながら、2019年8月下旬から2020年5月に至るまでのあいちトリエンナーレの事態を網羅的、かつ時系列で概観した。専門家だけでなく、幅広く一般の読者が、昨年来、マスメディア、Web、SNSなどで垣間見て得た断片的な情報を、1本の線でつなぐことができるように配慮した。市民・国民が事実を客観的に知ることが、何よりも重要だと考えたからだ。それが、本書の第2の目的である。

　そのうえで、当該事態や様々な論評を見渡し、次の4つの論点について各章で議論していくことを柱とした。1) なぜ展示中止が起きたのか（第3章）。2) なぜ展示再開できたのか（第4章）。3) 税金を使い、《平和の少女像》のような政治性・社会性の強い芸術作品を展示・公演することが、芸術祭・美術館・劇場等で認められるのか（第5章）、4) 文化庁の補助金不交付決定が認められるのか（第6章）、である。くわえて、第7章、第8章で、愛知県の検証・検討委員会、名古屋市の検証委員会について、それぞれの報告書の検証を行っている。また、今回の事態の処方箋の1つとして聞かれたアーツカウンシルについては、第9章で論じる。

　なかでも、当該事態に関して世論が大きく割れた論点は、3) と4) である。第5章で扱う「《平和の少女像》のような政治性・社会性の強い芸術作品を展示・公演することが、芸術祭・美術館・劇場等で認められるのか」については、3つの事例に分けて、分析的に論じている。第6章で扱う「文化庁の補助金不交付決定が認められるのか」については、アームズ・レングスの原則、文化権の問題として言及する。文化庁の不交付については、2019年10月にJNNの世論調査があり、46％が適切だったとし、31％が不適切だったとする[1]。

　JNNの世論調査で文化庁の不交付決定を認める結果が多いのはなぜなのだ

ろうか。2つの論点に象徴される世論の分断が、電凸による展示中止の背景、土壌にあることは想像に難くない。なぜ世論は分断されるのか。相互に立場を認め合う道筋はあるのかを明らかにするのが、本書の第3の目的である。第5章、第6章に限らず、本書で各論点をとりあげるなかでも、掘り下げていきたい。

　なお、議論の争点を明確にする見地から、本書での芸術祭は、トリエンナーレ、ビエンナーレをはじめとした、1) 数か年の周期で、2) 現代美術を内容とし、3) 事業規模が、数千万〜数億円以上で開催される、という限定をしている。ただ、第10章2で言及するように、対応策については、芸術祭、とくにあいちトリエンナーレを事例をとした本書の議論を、いかに個別の事業、組織に即して落とし込んでいくかが肝要となってくる。

　むろん、中小規模のアートプロジェクト、美術館、劇場、音楽祭にも、本書での議論が当てはまると考えられる。芸術祭以外の事例についても、本書の知見を、それぞれの現場で適宜活用していただければ幸いである。

〈注及び参考文献〉

1　Japan News Network「文化庁の決定について／TBS NEWS JNN 世論調査」(調査日2019年10月5日、6日), 2019年, https://news.tbs.co.jp/newsi_sp/yoron/backnumber/20191005/q6-1.html（参照2020年5月1日).

目次

序 章

あいちトリエンナーレ
2019

本書では、「表現の不自由展・その後」の展示中止、再開にまつわる事態を中心に取り上げる。しかしながら、最初に強調しておきたいことは、あいちトリエンナーレ2019のすべてで106企画あり、「表現の不自由展・その後」は、そのうちの1企画でしかないことだ[1]。全体予算12.5億円に対し[2]、「表現の不自由展・その後」の予算は、420万円で、しかも寄付で賄ったという[3]。

　そこで、あえて、序章では、あいちトリエンナーレ2019の全体像を伝えておきたい[4]。

　2019年8月1日（木）から10月14日（月・祝）にかけ、芸術監督を津田大介（ジャーナリスト）として、「あいちトリエンナーレ2019」を開催した。テーマは「情の時代 Taming Y/Our Passion」である。「国際現代美術展のほか、映像プログラム、パフォーミングアーツ、音楽プログラムなど、様々な表現を横断する、最先端の芸術作品が紹介」された。ところが、8月4日（日）から「表現の不自由展・その後」が、電凸攻撃・脅迫などで展示中止となる。それでも、9月25日（水）、「あいちトリエンナーレのあり方検証委員会」が、「条件が整い次第、すみやかに再開すべきである」と提言した。それを受け、ボイコットしていた14組の作家が復帰をし、10月8日（火）から全面再開した。

　今回の主な特徴は、オペラに替え、ポピュラーミュージックを新たなプログラムに加えたことだ。また、これまでガイドボランティアをはじめエデュケーションに力を入れてきたが、「『ラーニング（Learning）』へと名称も改め、来場者の誰もが相互に学び合う事業を展開し」た。まちなか展開については、これまで計3回は長者町を会場としてきたが、新たに四間道・円頓寺を会場とした。名古屋市内の会場としては、初めて豊田市で展示を行い、豊田市美術館や駅前界隈が会場となった。

　あいちトリエンナーレ2019の全体像を伝えたいという趣旨から、第1章でも、なるべく文脈に即して、「表現の不自由展・その後」以外の作品を紹介するよう心掛けた。序章でも、数は限られるが、各会場の主な作品のいくつかを紹介しておきたい。

　愛知芸術文化センター10階のロビーに展示され、会場を訪ねた観客の目にまず飛び込んでくるのが、エキソニモの《The Kiss》である。エキソニモは、

「千房けん輔と赤岩やえにより、1996年に結成されたアートユニット」である。3Dプリンタで出力された巨大な手にスマホが握られ、「目を閉じた人物が一定の間隔で現れ」、「二人はキスしているかのように見える」。「人はスマホを介して感情を通わせることができるのかを問いかける」作品だ（写真0-1）[5]。

同センター地下2階アートスペースXに展示されたのが、加藤翼の《2679》である。「日本で暮らしている3名の和楽器奏者（琴、和太鼓、三味線

写真0-1 エキソニモ《The Kiss》（2019）

の編成）が日本の国家『君が代』の演奏を試みた映像作品」だ。作品の背景には、名古屋市のシンボルともいえるテレビ塔が見える。演者の相互の両手首にロープが結ばれ、1人が演奏すれば、他人の演奏を邪魔してしまう。同じ目標を持ちながらも、他人の足を引っ張り合うのはよくあることだ。あいちトリエンナーレ2019の事態を、まるで予見するかのようだった（写真0-2）[6]。

四家道・円頓寺では、商店街、その店舗、雑居ビルなどが展示会場となった。アイシェ・エルクマンは、イスタンブール生まれで、ベルリンを拠点に活動する。「ミュンスター彫刻プロジェクト2017」では、《水の上》が話題となった。運河に輸送用コンテナを埋め、市民は、足が水に浸かりながら運河を往来した。町に賑わいや憩いの場を作った作品である。円頓寺商店街では、《Living Coral／16-1546／商店街》を展示した。「七夕まつりの装飾物をアーケードから吊り下げるためのロープを、ピンクに変えた」作品である。《水の上》に比すると、やや地味な印象は拭えない。だが、期間が経つにつ

写真0-2 加藤翼《2679》(2019)

写真0-3 毒山凡太朗
《Synchronized Cherry Blossom》(2019)

れ、町に馴染んでいく。もう1つの作品《店》では、ロープと同色の紙袋を制作し、そこには、「各店舗をイメージして作家が描いたシンプルな線画が印刷されていた。「商店街を訪れる人は、商品を買うことにより作品に参加でき」る仕掛けだった[7]。

ホンマエリとナブチの男女ユニット「キュンチョメ」の《声枯れるまで》は、「自らの性と名前を書き替えた人々」と作家が対話し、「彼らと共に『声が枯れるまで』新たな名前を叫び続けるアクションを展開」し、「その様子を映像化」した[8]。毒山凡太朗の《Synchronized Cherry Blossom》は、「リニア中央新幹線の品川—名古屋間開通を控えて都市構造が変革しつつある名古屋を取材した映像作品とともに、すべて同じ型で抜いて制作したういろうの桜の花約3万個を、ソメイヨシノの枝本に満開に咲かせた」(写真0-3)。ういろうは東海道新幹線開通をきっかけに名古屋の新たな名物となった。リニア新幹線開通とともに、新たな名物が生まれるのだろうか。「私たちが当たり前だと感じている認識に新たな可能性を示唆するとともに、風化していくかもしれない現在を作品化した」[9]。弓指寛治の《「輝けるこども」》は、「2011年4月に発生し、児童6人が亡くなった鹿沼市クレーン車暴走事故を題材にし」た作品である[10]。

名古屋市美術館に展示されたのが青木美紅の《1996》である。「18歳のある日、母親から、自分が両親に切望されて配偶者間人工授精で生まれてきた子どもであることを知らされたことに端を発する」作品だ[11]。弓指と青木など

若手作家を抜擢したのも、今回の特徴となっている。

　豊田会場では、高嶺格のとホー・ツーニェンを紹介しておこう。

　高嶺は、豊田市美術館内で、金屏風の前に望遠鏡を置き、「のぞき込むと、沖縄の普天間飛行場の辺野古移設問題に反対している人たちを映し出」した。《NIMBY（Not in My Back Yard）》である。また、美術館に隣接する旧豊田東高校のプールを使い、「埋め立てられる海に抗するように、プールの底が12mの高さで屹立」する作品《反歌：見上げたる　空を悲しも　その色に　染まり果てにき　我ならぬまで》を制作した[12]。

　ホーは、大正期から昭和期にかけて使用された料理旅館「喜楽亭」を舞台とし、《旅館アポリア》を制作し、1階と2階の各部屋に映像インスタレーションを配置した。"アポリア"は難問の意である。「喜楽亭」は、「戦争末期に沖縄の米軍艦隊に突撃した神風特別攻撃隊の草薙隊が、この地を発つ最後の夜を過ごした場所でもあった」。「彼ら特攻隊員、戦中の京都学派の思想家たち、そして宣伝部隊として南洋に派遣された映画監督の小津安二郎や漫画家の横山隆一といった文化人たち」が、映像に登場する。小津映画の登場人物、横山の漫画のキャラクターはすべてのっぺらぼうに加工されていた[13]。部屋を移動するごとに次から次へと現れる映像と、部屋全体が振動するインスタレーションに圧倒された。

写真0-4 高嶺格《反歌：見上げたる 空を悲しも その色に 染まり果てにき 我ならぬまで》（2019）

〈注及び参考文献〉

1 本章のここまでの記述は、『あいちトリエ
  ンナーレ2019開催報告書』（あいちトリ
  エンナーレ実行委員会，2020年a，1ペー
  ジ．）を参照した。

2 あいちトリエンナーレ実行委員会，前掲
  報告書，2020年a，130ページ．

3 津田大介「ツイッター（2019年8月4日）」，
  2019年a，https://twitter.com/tsuda（参
  照2020年5月1日）．

4 あいちトリエンナーレ2019の全体像に
  関する記述は、前掲報告書（あいちトリ
  エンナーレ実行委員会，2020年a，1ペ
  ージ．）を参照した。「」は引用。

5 エキソニモ《The Kiss》に関する記述は、
  『あいちトリエンナーレ2019 情の時代
  Taming Y/Our Passion』（鷲田めるろ，あ
  いちトリエンナーレ実行委員会，生活の
  友社，2020年b，13ページ．）による。
  「」は引用。

6 加藤翼《2679》に関する記述は、前掲書
  （飯田志保子，あいちトリエンナーレ実行
  委員会，2020年b，62ページ．）による。
  「」は引用。

7 アイシェ・エルクマン《Living Coral／
  16-1546／商店街》に関する記述は、前
  掲書（鷲田めるろ，あいちトリエンナー
  レ実行委員会，2020年b，112ページ．）
  による。「」は引用。

8 ホンマエリとナブチの男女ユニットキュ
  ンチョメの《声枯れるまで》に関する記
  述は、前掲書（相馬千秋，あいちトリエ
  ンナーレ実行委員会，2020年b，127ペ
  ージ．）による。「」は引用。

9 毒山凡太朗《Synchronized Cherry Blossom》
  は、前掲書（小林麻衣子，あいちトリエ
  ンナーレ実行委員会，2020年b，133ペ
  ージ．）による。「」は引用。

10 弓指寛治《「輝けるこども」》に関する記
   述は、前掲書（あいちトリエンナーレ実
   行委員会，2020年b，101ページ．）によ
   る。「」は引用。

11 青木美紅《1996》に関する記述は、前掲
   書（あいちトリエンナーレ実行委員会，
   2020年b，130ページ．）による。「」は
   引用。

12 高嶺格に関する記述は、前掲書（能勢陽
   子，あいちトリエンナーレ実行委員会，
   2020年b，154ページ．）による。「」は
   引用。

13 本段落のここまでのホー・ツーニェンに
   関する記述は、前掲書（能勢陽子，あい
   ちトリエンナーレ実行委員会，2020年b，
   144ページ．）による。「」は引用。

第 **1** 章

あいちトリエンナーレ 2019で なにが起きたのか

あいちトリエンナーレ2019にまつわる事態を取り上げた多くの書籍がすで
にある。2020年に刊行された公式カタログ『あいちトリエンナーレ2019 情
の時代 Taming Y/Our Passion』[1]に記載された「『あいちトリエンナーレ2019』
をめぐるドキュメント」が、当事者のドキュメントとして、例のない詳しさ
で、秀逸である。2019年12月末までに起きたことを、客観的、かつアーカ
イブ的な側面を意識し、項目ごとに詳細に記述されている。本章では、この
ドキュメントを参照しつつ、2019年8月の「表現の不自由展・その後」の展
示を中止する事態から、2020年5月の直近に至るまでを、津田大介（あいち
トリエンナーレ2019芸術監督／ジャーナリスト）へのインタビューを交え、ほぼ
時系列で概観した。また、事象を分かり易く切り取るのに必要な範囲で、適
宜筆者の分析や意見を差し挟み記述している。

1 「表現の不自由展・その後」の中止

　2019年7月31日（水）、あいちトリエンナーレ2019の内覧会・記者会見
が行われた。約150人の報道関係者が集まる[2]。18時から名古屋東急ホテル3
階でオープニングレセプションが開催された。そのホテルで一番大きな部屋
は人で埋め尽くされていた（写真1-1）。「《平和の少女像》が撤去されるので
は」とのささやきが、会場では聞かれた[3]。文化庁の課長級職員の来賓挨拶は、
急遽キャンセルされた[4]。しかし、電凸（電話凸撃）・メール攻撃によるテロが
起き、3日目で中止に追い込まれ、日本や社会を巻き込む騒動になることを
予想した一般参加者は皆無だったと思う。筆者も、自主規制や忖度により表
現の自由が過度に制約される状況で、今回の展示が必要以上に委縮する必要
はないこと示す先例になればという期待を抱いていた。
　一方で、すでに事務局への抗議電話は始まり、午後には事務局の回線電話
がパンク状態になっていた[5]。7月31日朝日新聞、中日新聞の朝刊等で、企画展
「表現の不自由展・その後」で《平和の少女像》が出品されることが、報道さ
れていた。各紙には、2015年に開催された展覧会「表現の不自由展」で展示

写真1-1 オープニングレセプション

写真1-2 ピア・カミル《ステージの幕》

された《平和の少女像》が写真入りで紹介されていたのだ[6]。

　翌8月1日（木）10時、あいちトリエンナーレ2019は開幕を迎える。筆者も開幕直後の会場を訪ねた。地下2階の吹き抜けのオープンスペースに設置されたピア・カミルの《ステージの幕》の前では、津田芸術監督がメディアのインタビューに答えていた（写真1-2）。「表現の不自由展・その後」の展示室は、愛知芸術文化センターの8階にあった。開幕日の朝、《平和の少女像》の現物を初めて見た。「作者は、韓国の作家キム・ソギョン‐キム・ウンソン夫妻で、韓国の『民衆芸術』の流れをくむ」。視線を前に見据え、凛とした1人の少女の姿だ。「地についていないかかとは、（中略）不安の中で生きてきたハルモニたちの人生を表」す。足元から左後ろに少女の影が映りこんでいる。「少女の影は、ハルモニの影」だという。少女の隣に椅子が置かれ、「台座は低く、椅子に座ると目の高さが彼女と同じになる」[7]（写真1-3）。

　展示室には、津田芸術監督の提案を受け、展示された小泉明郎の《空気 #1》（写真1-4）、白川昌生の《群馬県朝鮮人強制連行追悼碑》（写真1-3）、Chim↑Pomの《気合い100連発》《堪え難き気合い100連発》（写真1-5）が見られる。対話

と議論の場を引き起こす仕掛けとして、《表現の不自由をめぐる年表》など資料コーナーも用意されていた[8]。午前中は、韓国のSBSはじめいくつかのメディアが見られたが、観客はさほど多くはない[9]。当日、展示会場を見守った「表現の不自由展・その後」実行委員会の3人の1人、岡本有佳は、その日の様子について、「会場は大きな混乱はなく、たくさんの観客が作品を見ていた」[10]という。

写真1-3 キム・ソギョン・キム・ウンソン《平和の少女像》(2011)[左手前]／
　　　　白川昌生《群馬県朝鮮人強制連行追悼碑》(2015)[右奥]

　その一方で、1日には、あいちトリエンナーレ実行委員会及び本庁コールセンターで受け付けた抗議・苦情の電話が200件、メール・FAXが505件に及び[11]、「他業務が行えない状態」[12]となっていた。「職員個人への中傷・脅迫、個人情報をネットでばら蒔かれる事案が相次ぐ」[13]。抗議電話等は、本庁・地方機関のみならず、協賛・協力企業、団体に及んだ[14]。いわば、職員の精神的疲弊と相まって、組織機能が停止に追い込まれたのだ。

　こうした行為を煽る政治家も現れた。和田政宗参議院議員は、ツイッターで、「(前略)。事実だとしたらとんでもないこと。(中略)。しっかりと情報確認を行い、適切な対応をとる」「『あいちトリエンナーレ』問題は、文化省・

文化庁に確認中。（後略）」¹⁵と発信する。小坪しんや行橋市市議会議員は、自らのWebページに電凸先を掲示し、以後も繰り返した¹⁶。

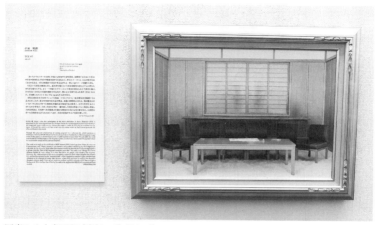

写真1-4 小泉明郎《空気 #1》（2016）

写真1-5 Chim↑Pom
　　　　《堪え難き気合い100連発》
　　　　キャプション（2015）

　8月2日（金）朝、愛知県美術館に、「撤去をしなければガソリン携行缶を持ってお邪魔する」というFAXが送られてきた¹⁷。菅義偉官房長官は、同日午前の閣議後会見で、「補助金交付の決定にあたっては、事実関係を確認、精査して適切に対応したい」「審査時点では具体的な展示内容の記載はなかった」¹⁸

と話す。午後には、河村たかし名古屋市長が視察を行い、「10億円ぐらい全体で税金使ってますけど、そんなとこでこんなことやるということは、本当に私の心も踏みにじられましたわ」[19]との発言が報道された。2日の抗議等の電話は274件、メール・FAXは906件に及んだ[20]。

　2日午後5時前、津田芸術監督の会見が急遽開かれた。会見の開催理由を、「『一番の理由は抗議電話が殺到し、対応する職員が精神的に疲弊していること』と明かした」[21]。会見を行った際には、ステートメントを配し、「来場者や職員の安全が危ぶまれる状況が改善されないようであれば、展示の変更も含め何らかの対処を行う」ことを伝えた[22]。

　8月3日（土）、筆者は、朝一番で愛知芸術文化センターを再訪した。「表現の不自由展・その後」の会場がある8階の入り口に約10名程度が並ぶ。10時に開場すると、会場に向け、駆け込む観客が幾人か見られた。「なんでこんな展示をするのか」と怒鳴り声をあげる観客がいた[23]。夕刻になると、大村秀章（ひであき）知事の記者会見が開かれ、ガソリンテロの予告があったこと、脅迫等の電話で事務局がまひしていることなどから、安心・円滑な運営を理由に、あいちトリエンナーレ2019の一部をなす企画展「表現の不自由展・その後」の中止が発表された[24]。

　当時の思いを、津田は、2020年5月のインタビューで次のように振り返る[25]。

　　不自由展は僕自身の肝煎り企画だったので、もちろんやめたくなかったんですが、状況は最悪でした。職員が脅迫されていて警察も動かない。世論の風もあって、政治家がそれを煽る。「キュレーションが悪い」「素人が芸術監督だからだ」という美術業界の声も多く、援護射撃は少なかった。こんな企画やるなら当然だろう、という空気も相当あったし、「覚悟が足りない」と批判もされ、援軍は、ほとんどない状況でした。この状態で強行するのは、リアルに観客と職員とアーティストを危険に巻き込むことになると思い、自分がいまできるのは（被害を）最小限にするしかないと考えました。

　これに対して、直ちに一方的中止に対する抗議文を公表したのが、「表現の

不自由展・その後」実行委員会だ。「『戦後日本最大の検閲事件』として強く抗議し、展示継続を求めた」[26]。

　3日の抗議等の電話は200件、メール・FAXは875件を数えた。抗議等の電話、メール・FAXはその後も続き、8月の1か月間で、あいちトリエンナーレ実行委員会、本庁コールセンター、本庁各課、地方機関に対して、電話が3,936件、メールが6,050件、FAXが393件に及んだ[27]。職員の当時の様子が、朝日新聞の10月中旬の記事で次のように伝えられている[28]。

　　愛知県庁の男性職員は、1件で3時間超も応対した電話もあったといい、「何人もの職員が泣きながら電話を取っていた」。協賛企業にも抗議は及び、その対応も迫られたという。
　　男性職員は、電話に追われ、本来の仕事は夜にまわさざるを得なくなった。午前8時から午前4時まで働くことが1週間続き、体重は5キロほど落ち、この2カ月はほとんど休んでいないという。同僚たちも連日、日付が変わるまで仕事に追われていた。

　こうした騒動は、神戸市にも飛び火した。津田芸術監督が登壇する8月18日（日）の神戸市内のシンポジウムの中止を、8月9日（金）、神戸市の外郭団体など主催側が発表したのだ[29]。筆者は、当時の共同通信の取材に、「かつてこうした抗議は右翼の街宣活動が主だったが、今はファックスや電話など『目に見えない怖さがある』」[30]とコメントしている。津田芸術監督や愛知県が情報を発信できない状況が続いた。

2 展示再開から閉幕へ

　それでも、展示再開に向けて、行政、芸術監督、アーティスト、専門家、市民がそれぞれの立場で動き出す。

市民、専門家らの声明と、自治体首長の発言

　8月3日（土）以降、市民、専門家の立場から、展示中止に抗議する声明文が次々とだされる。3日日本ペンクラブ、5日（月）アクティブ・ミュージアム「女たちの戦争と平和資料館」（wam）、7日（水）美術評論家連盟、8日（木）アムネスティ、9日（金）日本文化政策学会、27日（火）国際美術館会議（CIMAM）はじめ約50以上の各団体に至った[31]。

　ここで、筆者が理事を務める日本文化政策学会の声明文を紹介しておこう[32]。

　幾多の声明文のなかで、その特徴は、文化政策研究者集団として、学術的な観点から3つの争点を明確に示している点にある。すなわち、1）表現を暴力により抑圧することは断固として許されず、業務妨害やテロ未遂といった脅迫・威嚇行為に対する適切な捜査と処罰を望むこと、2）自治体首長や議員、政府高官が展示内容に介入する発言は看過できず、表現の持つ政治的立場を問わず、表現活動の多様性と自律性の保障が求められること、3）展示中止は主催者による自己検閲・自主規制にあたり、中止された理由となる管理運営上の支障を取り除き、安全を担保したうえで、展示の再開に向けた道筋を考慮していくこと、である[33]。

　作成当時としては、力を尽くした声明文だと考える。しかし、今振り返ってみると、筆者としては、警察捜査への言及など不十分だと感じる点がある。津田によれば、「声明は全部読みましたが、現場で起きたことをもっとも的確に汲み取ってくれて共感してくれた」[34]と思ったのが、アクティブ・ミュージアム「女たちの戦争と平和資料館」（wam）の声明だという[35]。その特徴は、「テロの問題なので、愛知県警に対応してほしいという声明文になっている」[36]ことだ。また、「日本軍『慰安婦』問題や天皇制に関わる表現が『問題』なのでは」なく、公人の発言が脅迫犯らをも生んだと喝破している。

　こうした市民・専門家らの展示中止に抗議する動きが見られた一方で、自治体の首長らからは、展示中止を当然視し、電凸を正当化する発言が相次いだ。8月4日（日）に、吉村洋文大阪府知事は、ツイッターで次の投稿をした[37]。

実行委員会会長は知事だから最終責任者は知事。信じられないが、巨額の税金を投入した上で、慰安婦像だけでなく、天皇陛下の写真を焼く映像もあるらしい。「知事辞職勧告決議」じゃないか？

　8月5日、松井一郎大阪市長が、囲み会見で、「税金投入してやるべき展示会ではなかったのではないかと思います。慰安婦の像とか日本人をさげすみ陥れる。そのような展示はふさわしくないのではないか」[38]と発言する。8月27日には、黒岩祐治神奈川県知事が、記者会見で、「表現の自由を逸脱している」「私は絶対に開催を認めない」と持論を述べた[39]。

　これらの自治体首長・政治家らの発言に対して、「"税金でやるからこれをまったくやっちゃいけないんだ"というのは私は全く真逆だと思う。行政、国、市、公権力を持ったところだからこそ、表現の自由は保障されなくてはならない」[40]と気を吐いたのが、大村知事だ。

再開に向けた津田芸術監督、愛知県、アーティストらの動き

　8月初旬、津田芸術監督の動静が、メディアを通して十分に伝えられることはなかったように思う。津田によれば、当時の様子を次のように話す[41]。

　　正直、情報発信どころではなかったですね。内覧会含めたオープニングの4日間で事務局機能は破壊され尽くしてしまいましたから。2周目となる8月6日からは、まず運営を滞らなくできるのか、その危機管理に追われていました。1番の理由は、サカナクション（『暗闇-KURAYAMI-』）があったからです。8月7日から、7公演予定されており、1階芸文（愛知芸術文化センター）の大ホールなので、毎回2,000人の観客が来ます。しかも、普通のコンサートでなくて、完全な真っ暗闇の中で行う巨大なサウンドインスタレーションでした。その状況下でもしガソリンを撒かれたら、どうにもならない。ガソリンが撒かれないまでも何か起きたら、密集していて、将棋倒しが起きて、パニックを起こす危険性もあった。そもそも不自由展の中止は自分が望

んだものではなかったので、当然再開したい思いはありましたが、まずは目の前に迫っている危険に対処するしか、あの時点では具体的に動けませんでした。サカナクションの公演を8月11日に7回目を無事終えることができて、本当によかったと思いましたし、これで次の段階に進めると思いました。

　そうしたなか、8月9日（金）、振り返れば、再開に向けた1つ目のターニングポイントとなる発表を、愛知県が行った。「あいちトリエンナーレのあり方検証委員会」の設置をリリースしたのだ[42]。会期中の検証委員会開催は、「事実でないことも色々書かれている状況にある」[43]ことから異例の判断だった。

　この点、津田は、「（今回の展示によって）『表現の自由の議論を』という趣旨は多くの人に届いた」との大村知事の記者会見（3日）での発言を引き合いに出しながら、「3日に中止を決めた段階——当初は大村知事の頭の中に、再開はなかったと思います。不自由展を再開しないことは愛知県の文化事業に大きなデメリットがあることを伝えましたが、知事としては円滑な運営などできない以上再開は難しいというスタンスでした」と話している[44]。

　8月16日（金）に、検証委員会の第1回目を開催する。山梨俊夫（国立国際美術館長）を座長、上山信一（慶應義塾大学総合政策学部教授）を副座長とし、岩淵潤子（青山学院大学客員教授）、太下義之（国立美術館理事）、金井直（信州大学人文学部教授）、曽我部真裕（京都大学大学院法学研究科教授）の計6名の委員である[45]。

　むろん、参加作家たちも、展示中止直後から動き出していた。8月6日（火）、韓国のパク・チャンキョン、イム・ミヌクが、「展示室を閉鎖し、作家ステートメントを掲出」した[46]。同日、参加作家72組が「政治的圧力や脅迫から自由である芸術祭の回復と継続」ならびに「安全が担保された上での自由闊達な議論の場」が開かれることを求め」るステートメントを連名で発表した[47]。

　8月12日（月・祝）には、「参加作家有志が、芸術監督やキュレーターを交えたパブリックフォーラムを芸文センターで開催」[48]した。「Skypeでの中継での参加を含め、約25名の作家が集」[49]まる。

　当時の議論を、津田は、のちの長者町で開かれたシンポジウムで、次のように紹介している。「中断する作家が増えると、トリエンナーレが崩壊に向か

う。それはテロリストの思うつぼだ」と、津田が、参加作家らに率直に話したのに対して、タニア・ブルゲラは、次のように発言したという。

　すべてのアーティストが抗議する必要はない。アーティストがそれぞれの表現として、自分がどういうスタンスをとるのかということをやればいい。ディスカッションをしたうえで、展示を続ける。一時中断するアーティストもいる。我々は連帯する。連帯には事務局が入っているのだ[50]。

　こうしたやり取りも踏まえたうえで、タニア・ブルゲラはじめ11組の海外作家とペドロ・レイエスキュレーターは、『ARTNEWS』宛に送付された12日付オープン・レターで、彼らの作品の展示の一部中止を求めた[51]。8月20日（火）には、海外作家8組が展示を一時中止または変更した[52]。そのうちの1人レジーナ・ホセ・ガリンドは、グアテマラを拠点に活動する。彼女の作品《LA FIESTA #latinosinjapon》は、10階会場の入り口付近に展示されていた。「愛知県在住の37名のラテンアメリカ移民労働者グループのために、ルールのないパーティーを催した、リレーショナル・アート作品」[53]である。映像の上映が中止され、会場には、パーティーで使われた小道具が無造作に打ち捨てられていた（写真1-6）。

　前述のサカナクション公演終了後、津田は再開に向けた模索を始める。

　（サカナクションの公演という）最初のヤマを越えて、ようやく8月12日にタニア・ブルゲラらとディスカッションした。タニアたちと話をして、「再開を目指す」と僕は伝えました。芸術監督が公的な場で再開を目指すことを表明したのはこのときが初めてだったと思います。その翌日タニアを中心としたグループの大量ボイコットがあり、この事実を知事に報告して今後どうしていくのか議論を始めました。「再開は目指さなければいけない。ボイコットする作家が増えていけばトリエンナーレ事態が崩壊します」と強い危機感で知事に伝えましたが、この時点でも知事としては立ち上げた検証委員会が一定の結論を出すまでは何も言えないというスタンスでしたね[54]。

写真1-6 レジーナ・ホセ・ガリンド《LA FIESTA #latinosinjapon》(2019)〔展示中止中〕

　津田は、大村知事を「理にかなったことを言って、それが自分の利益とわかるのだったら、腹八分目であってもそれを取り入れる。昔ながらの保守政治家ですね」[55]と評する。津田自身の当時の見通しについては、次のように話す[56]。

　　不自由展が中止して日に日に電凸の数は減ってきました。8月中旬ぐらいにはだいぶ落ち着いてきたので、現実的に再開を目指すことが考えられるようになり、なにが再開の障害になるか徹底的に分析しました。その段階で知事はまったく説得できる感じではなかったのですが、自分の中には理を尽くして外堀を埋めていけば最終的にOKしてくれるだろうという確信めいたものがありましたね。状況に合わせて再開するメリット、デメリットを示し、国際世論、今後の影響を説明し、再開しないよりもした方が、メリットが大きく、しなかったら大きなダメージがあることを説明すればいいだろうと。

　津田は、8月中旬の時点で、再開に向けた課題として、次の2つを考えてい

たという[57]。

　　事務局の職員を内部で統括していた責任者を含め職員は、「（不自由展を）2度とやりたくない」と思っている人がほとんどでした。体調を崩して休職した職員もいました。芸術祭の運営には職員が不可欠ですから、職員の協力がなければ普通に再開はできない。事務局機能が破壊されて、愛知県職員同士による横の不和もあった。多大なストレスをかけている状況で強行するわけにはいかなかったし、彼らを説得する必要がありました。そのためには、再開するにしても、電凸対策、セキュリティ対策を十分に講じて、彼らをある程度守れる状況にしなければいけない。体制作りの点でも、粘り強くコミュニケーションする意味でも相当時間もかかるだろうとは思っていました。条件が整わない限りすぐに再開するのは難しいと思っていましたし、再開期間が長いと彼らのメンタルももたないだろうと。その中でバランスを取る必要があったということですね。

　　もう1点が、不自由展実行委。彼らは半ば一方的に企画を中止させられた被害者ですし、主張自体も正しいことを言っていました。ただ、それだけに行政のイベントである事業で様々な限界があることを理解してもらうことも難しく、お互いに落としどころを探る政治的な交渉ができない。8月中旬に再開に向けた交渉をしたいと何度もこちらから連絡していたのですが、彼らは応えてくれませんでした。その当時から仮処分申請を考えていたのだと思います。

　　いずれにせよ、内部的な問題──職員と外部的な問題──不自由展実行委のスタンスが現実的には再開に向けての大きな障害になるだろうと思っていましたね。

　その一方で、津田は、8月17日（土）15時から長者町で開催されたシンポジウムで、公的には、展示再開について「相当ハードルが高いと思う」と発言する。脅迫犯の逮捕、警備強化、電凸への対応策、アーティストや市民とのディスカッションによる合意形成という4つの解決すべき問題を挙げていた[58]（第2章1参照）。

8月23日（金）には、津田芸術監督が、「8月12日付オープン・レター『表現の自由を守る』への回答を送付」[59]する。同日、大村知事から参加作家宛てにレターを送付」した。大村知事のレターには、9月には、「表現の自由に関する公開フォーラム（仮称）」を開催し、作家やキュレーターを招き、県民の皆様（鑑賞者）とともに自由に意見を語り合う場」を設けること、10月には、「表現の自由に関する国際フォーラム（仮称）」の開催と、表現の自由をアピールする「あいち宣言（あいちプロトコル）」の提案が示された[60]。

▌国内出展アーティストの奮闘 ─「ReFreedom_Aichi」

　国内出展アーティストの奮闘が世論に可視化され始めるのが、8月下旬だ。8月22日（木）、あいちトリエンナーレのまちなか会場である円頓寺商店街に、毒山凡太朗が「多賀宮 TAGA－GU」を、加藤翼、毒山凡太朗、参加作家有志が「サナトリウム」をそれぞれオープンした[61]。2項対立の構造を乗り越えて、作品を展示し、市民と議論する場を作った。

　他方で、9月3日（火）には、「田中功起が、展示の『再設定』を行う。（中略）展示室入り口の扉を半分閉め、扉にはオープンレターを提出」した。「来場者は中には入れず、入り口から見るだけとした」[62]。写真1-7は、再設定前の作品《抽象・家族》である。展示室は、4人の『登場人物』による3つの映像と、映像の中に登場する抽象絵画や家具、写真によって構成され」た。「このプロジェクトがなければ出会わなかった」4人が、「映像の中で、一軒家では家族のように日常を過ご」す。家族の意味を問いかける作品だ[63]。3つの映像作品を見るのに数時間はかかる。それでも、会場では、用意されたソファーにくつろぎながらゆったりと鑑賞する観客の姿が頻繁に見られた。「再設定」によって、そうした鑑賞空間が奪われたのだ。

　再開に向けた2つ目のターニングポイントが、9月10日（火）のプロジェクト「ReFreedom_Aichi」の公表である。参加アーティストが数週間にわたり温めてきた展示再開のための戦略を、日本外国人特派員協会で発表した。小泉明郎、卯城竜太［Chim↑Pom］、ホンマエリ［キュンチョメ］、高山明、

大橋藍（発言順）が壇上に並び、加藤翼、村山悟郎、藤井光（発言順）が会場から参加した[64]。

「ReFreedom_Aichi」の6つのプロジェクトを紹介しよう[65]。

1つ目に、ネゴシエーションである。展示再開に向けて、県、あいちトリエンナーレ実行委員会、芸術監督、「表現の不自由展・その後」実行委員会、参加アーティスト、ボランティア、市民など様々な利害関係者との調整が必要だった。この記者発表は、「問題への具体的な提案、県や運営側などへの交渉や要求、再開までのロードマップの作成」などに先頭に立って取り組む決意表明でもあった。

写真1-7 田中功起《抽象・家族》(2019)

2つ目に、セキュリティである。高山明が、「アーティスト・コールセンター」を立ち上げることにした。アーティスト自ら電凸対応を担い、事務局の負担を少しでも和らげようという試みだ。この取り組みは、のちに芸術選奨文部科学大臣新人賞を受賞する（3後述）[66]。

3つ目に、オーディエンスである。ホンマエリが中心となり、「＃YOurFreedomプロジェクト」を始動させる。「現在閉鎖されている展示室の扉に、オーディエンスに「あなたの不自由」を付箋に書いてもらって貼ってもらう」ことにした。そもそも、モニカ・メイヤーの《The Clothesline（物干しロープの意

味）》の作品から示唆を得た。彼女は、「参加者は1枚の紙を取り、セクシャルハラスメントや性的暴行を受けた経験を匿名で記し、終わったら物干しロープに留める」[67]作品を、名古屋市美術館で展示していた。「#YOurFreedom プロジェクト」は、ともすれば、ネット空間の極端な声にかき消されがちな市民の声を、アーティストならではの柔軟な発想で、可視化していった。もう1つが、先に紹介した加藤翼たちが立ち上げたアーティストランスペース「サナトリウム」である。トークイベントやワークショップ、展示中止の事態に替わるものとしていくつかの作品を展示し、アーティスト、専門家、市民、ときには展示再開反対派の首長らとの議論の場を提供していくことにした。

4つ目に、アーカイブである。情報発信を目的として、ホームページを立ち上げ、様々な情報を集約してアーカイブ機能を持たせることとした。

5つ目に、ファンディングである。資金を集めるためにクラウドファンディングを9月10日（火）から目標額1,000万円で開始する。この取り組みは、のちの10月14日（月・祝）、703人の支援により1,141万2,009円の資金を集め、終了した[68]。

6つ目に、プロトコルである。藤井光が中心となり、表現の自由の重要性を、あいちの現場からアピールする「あいちプロトコル」の草案の制作と提出を担うことにした。当初、「あいち宣言（あいちプロトコル）」は、ペドロ・レイエス（あいちトリエンナーレ2019キュレーター）の発案に、大村知事が共鳴したことで始まった。だが、参加アーティスト有志は、「草案作成を行政に託すのではなく、作家主導で行うことを重視し」、「そのプロセスを社会へ開いていこう」としたのだ[69]。

こうして、プロジェクト「ReFreedom_Aichi」が1つの求心力となり、様々な関係者をつき動かしていった。

不自由展実行委員会の仮処分申し立てと中間報告

9月13日（金）、「表現の不自由展・その後」実行委員会が、「不自由展を塞ぐ壁の撤去と再開命令の仮処分を申し立てた」[70]。9月10日（火）、「23時頃不

自由展実行委員会が仮処分申請をするという連絡が」[71]津田芸術監督に入る。12日（木）、「（津田）芸術監督と不自由展実行委員会の永田浩三、小倉利丸（としまる）が仮処分申請について面談」を行った。「（津田）芸術監督の顧問弁護士が同席し、仮処分申請がされると、当事者が直接話せなくなること、裁判所に提出する資料作成などで展示再開への準備が遅れると説明するが、（交渉は）決裂」した[72]。不自由展実行委員会のなかでも、仮処分申請については、支持する意見もある一方、「少なからず疑問もでた。そこで仮処分という法的手続きは、同時並行して協議を求め続けることができるし、損害賠償や責任追及を目的としないことなどを説明し」たという[73]。

　9月21日（土）午後には、愛知芸術文化センター12階アートスペースAで「あいちトリエンナーレのあり方検証委員会」主催で、「表現の自由に関する国内フォーラム」が開催された。テーマは、「『表現の不自由展・その後』について考える」である。大村知事が8月初旬に参加作家宛てのレターで、9月に国内フォーラム、10月に国際フォーラムの開催を約束したことを受けたものだ（2前述）。筆者も参加した会場は、抽選で選ばれた市民約100人で埋まった。入場にあたり、手荷物を預けたうえ、金属探知機でボディチェックを受けるなど、物々しい雰囲気につつまれた。第1部では、検証委員会から報告がある。金井委員により、電凸の攻撃対象となった大浦信行の映像作品《遠近を抱えて PartⅡ》全編が上映された。

　実は、大浦の映像作品上映にあたり、当初は大浦本人を招き、作品の意図を紹介してもらう予定があったという。自身の講演予定もキャンセルされた津田は、当時の事情を次のように話す[74]。

　　（津田が）登壇者を、山梨さんに頼まれ、「15分ぐらいで、ことの経緯を説明してくれ」と言われ、実際にプレゼンファイルも用意していました。ところが、検証委員会のヒアリングを巡ってパネルディスカッション（の登壇者）で揉めたんです。この問題の当事者は不自由展実行委なのですから、当然パネリストとして彼らを登壇させるべきでした。しかし、検証委員会の上山副座長が拒否したのです。そもそもの理由は上山さんが、不自由展について、

ツイッターでかなり否定的なことを書き、それを見た不自由展実行委が激怒し、「中立な検証委員会でないのでは」と批判してヒアリングは1回受けたものの、2回目を拒否したんです。(それに対して、)「ヒアリングを拒否して検証委員会に協力的でないから、(不自由展実行委のメンバーは、)フォーラムに出さない」となった。その話を伝え聞いた僕は上山さんに連絡して「このままではフォーラムそのものが瓦解します。とにかく(不自由展実行委を)出してください」と、強く主張したのですが、上山さんの考えは変わりませんでした。その後、不自由展実行委が登壇しないということを聞いた大浦さんが怒り、大浦さんの出演がなくなったのです。山梨さんから電話がかかってきて、大浦さんとともに僕の講演もなくなりました。

　津田は、「上山さんが、このときに『不適切なツイートだった』と不自由展側に謝罪して、2回目(のヒアリング)をやって、彼らをフォーラムに登壇させていれば、不自由展実行委の態度も緩和され、その後の展開も変わったのでは」[75] と振り返る。

　フォーラムの司会を務めたのが、山梨座長である。第1部終了後の休憩時間に質問を受け付けたところ、その多くが展示再開に関することだった。そうしたこともあり、第2部では、まずは、出展作家の白川、小泉、卯城、大橋、高嶺、加藤、毒山、村山(発言順)がそれぞれの作品を紹介するとともに、再開を視野に入れたコメントをした。第2部は、作家の自己紹介等で45分が経ち、終了予定の17時まで10分程度しかなくなっていた。15分延長されたものの、開催案内に謳われた「出展作家や参加者を交えた自由な対話」[76] とは程遠い内容だった。

　むろん、展示再開に反対する意見が見られ、そうした市民と小泉をはじめとした作家との対話も一部で見られた。一方で、参加者が委員の発言の最中に割って入ったり、野次を飛ばしたりする場面も多々見られた。また、不規則発言をした人を一切発言させない、やや強引な議事進行があったようにも見受けられた。やむを得ない面があるが、展示再開について意見を異にする市民が真に向き合う場となったのか、疑問が残った。

ただ、フォーラムの最後に、山梨座長から、検証委員会としては再開に前向きであることを示唆する次のような発言がある。その点は、大きな前進ではあった。

　　検証委員会としては、展示を再開する権限はない。皆さんの意を聞き、報告書に織り込むことができる。検証委員会は再開するから頑張ろうとはいえる。中止している状態が抱えている問題が、見えてきた。対社会的、対外的影響も分析した。どう解決していくのか、時間がない。このフォーラムを次のステップについてどう考えるか、布石の場として考えていきたい。奥歯にものが挟まった言い方になる。再開といってもそう簡単ではない。そういうことを加味しながら、どうすればいいか時間がないなか、様々な要素を取り入れながら、積極的な方向で考えていく必要がある[77]。

津田も、この時の山梨の発言を意外に思ったという[78]。

　　国内フォーラムの時には、「中間報告が出たときは、本来検証委員会は、（展示再開の）是非には踏み込まない」という位置づけだった。8月中大村知事とは毎日のように電話で協議していましたが、検証委員会が再開の是非を判断するという話はしていませんでした。その前提があったので、山梨さんがフォーラムの終わり際に、「再開についても少し方向性を出したいと思う」といういい方をしたことに驚きました。「方向性を出す」というのは、官僚の作文的には「再開の検討をする」という意味ですから。

　閉幕後、山梨座長、金井委員、岡本、小倉で非公式な話し合いの場が設けられ、再開条件として、1）不自由展実行委員会が退くこと、もしくは、2）キュレーターが入り、展覧会を組み直すことの2案が示された[79]。このとき、岡本は、「私は『不自由展委員会が退く』という想像もしていなかった言葉に愕然とした」[80]という。
　9月22日（日）、「17時、藤井光がレクチャーパフォーマンス中、自ら展示

を中止するアクションを起こ」した。「その後翌朝にかけ、相馬千秋キュレーターが協議を行う」[81]。藤井は、名古屋市美術館で映像インスタレーション《無情》を展示し、「ReFreedom_Aichi」の中心メンバーの1人でもあった[82]。何も聞かされていなかった周囲のアーティストらに衝撃が走った。

　そして、9月25日（水）13時から、「あいちトリエンナーレのあり方検証委員会」が、中間報告を発表し、「条件が整い次第、すみやかに再開すべきである」と提言した。その条件とは、1）脅迫や電凸等のリスク回避策を十分に講じること、2）展示方法や解説のプログラムの改善・追加、3）写真撮影とSNSによる拡散を防ぐルールを徹底する、である。大浦の映像作品を別会場で上映することも例として示されていた[83]。この中間報告をもって、あいちトリエンナーレのあり方検証委員会は、検討委員会に衣替えする[84]。

　大村知事は、記者会見で「条件が整い次第速やかに再開すべきであることを真摯（しんし）に受け止めて再開を目指したい」[85]と表明した。16時過ぎには、「『表現の不自由展・その後』をめぐるトラブルを招いたとして、知事が芸術監督を厳重注意」[86]とした。そのうえで、「不自由展実行委員会および同展出品作家との協議は、トリエンナーレ実行委員会事務局およびキュレーターを窓口とするよう指示」[87]を出した。中間報告を踏まえ、大村知事が条件として展示方法の変更を示唆した。「検証委の記者会見では、二一日の非公式での打診と同じく不自由展実行委員会をあいトリから外すことも含めて検討していく、という内容の発言があった」[88]という。展示再開に向け、一筋の光が差し始めたものの、不自由展実行委との協議・交渉がハードルとして立ち塞がることが予想された。

　津田は、9月25日から28日にかけてを、「しびれる状況だった」[89]と振り返り、26日の晩の大村知事とのやりとりを次のように話す[90]。

　　大村知事から電話があり、「再開を目指すが、不自由展実行委が頑なだ。上山副座長が不自由展側に対して、9月27日に検証（検討）委員会から最後通牒を突きつけて交渉する。そういう対応で行くから」と聞いてここまで積み上げてきたすべてのプロセスが無駄になると思いました。電話口で大村知

事に対して「いまラーニングチーム、キュレーターチームと不自由展実行委
の間で再開に向けた非公式な協議が始まっていて、それが結構好感触なんで
す。最後通牒を突きつけて彼らを外したらアーティストも戻ってこず、トリ
エンナーレが瓦解します。とにかく上山さんにストップをかけてもらえない
か」と懇願しました。多方面から働きかけてもらって何とかその方向性は止
めることができました。

　小泉明郎はじめ「ReFreedom_Aichi」のアーティストとも情報を共有した
のだ[91]。

‖ 文化庁の補助金不交付決定

　不自由展実行委員会とあいちトリエンナーレのあり方検討委員会・愛知県
の綱渡りの交渉が続けられた。そうしたなか、9月26日（木）、文化庁に絡む
NHKの報道が、国内中に激震を走らせた。文化庁が、愛知県が申請していた
「平成31年度文化資源活用事業費（日本博を契機とする文化資源コンテンツ創生事
業）」の補助金約7,800万円を全額交付しないことを決めたのだ[92]。お金を出す
だけでなく口を出した点で、アームズ・レングスの原則に反する。憲法21条
で保障される表現の自由・芸術の自由が守るべき一線を超えた点で、深刻な
事態である。

　これに対して、「ReFreedom_Aichi」が「change.org」で補助金不交付中止
の撤回を求める署名活動を開始した[93]。26日18時には、「文化庁前で補助金不
交付撤回を求める緊急抗議が行われ」る[94]。翌27日18時頃には、東京藝術大
学正門前でも抗議集会が行われた[95]。そのほか、美術評論家連盟、表象文化論
学会、東京大学教員有志、東京藝術大学教員有志、日本文化政策学会など約
30団体が次々と声明文を出した。なかでも、「あいちトリエンナーレ2019不
交付決定に対する声明」[96]は、出色の取り組みだった。政府・自治体の助成事
業の「外部審査員」として関わった文化・芸術の専門家ら1,404名の署名者・
賛同者を集め、論点を外部審査員決定を覆した点に絞り、切り込んだ。

また、あいちトリエンナーレ2019閉幕後に明らかにされたのだが、不交付が発表された当日に、鷲田めるろ（あいちトリエンナーレ2019キュレーター）は、「同庁の委託で現代美術の振興に取り組む『日本現代アート委員会』の委員と別の委員（非公表）」を辞任した[97]。10月2日には、野田邦弘鳥取大学特命教授（文化政策）が、当該補助事業の外部審査委員を辞任した[98]。

愛知県と不自由展実行委員会との和解・合意

　9月27日（金）に、「不自由展実行委員会が申立てた仮処分の第2回審尋」[99]が行われた。その際、「不自由展実行委員会は、10月1日に中止前の状態で展示を再開するよう和解を提案」[100]した。そして、27日の深夜に、大村知事から津田に「不自由展実行委のいうことを呑むことにした。文化庁（の不交付決定）で変わった。内部で揉めている場合ではない。妥協して再開しないと、悪い事例を残すことになる」と電話がかかる[101]。不自由展実行委員会への最後通牒は、かろうじて退けられた。

　また、27日には、「#YOurFreedomプロジェクト」が、愛知県美術館8階D室扉から、同室内へと会場を拡張」[102]する（写真1-8）。展覧会場の美術館の現場でも、再開の道筋への光が可視化された瞬間だった。

　9月30日（月）9時過ぎに、「大村知事が、名古屋地方裁判所における仮処分の第3回審尋を前に、再開へ向けて4つの条件を提示」[103]した。4条件とは、「①犯罪や混乱を誘発しないよう双方協力する ②安全維持のため事前予約の整理券方式とする ③開会時のキュレーション（展示内容）と一貫性を保持し、必要に応じて（来場者に）エデュケーションプログラムなど別途実施する ④県庁は来場者に対し（県の検証委の）中間報告などをあらかじめ伝える」である。

　これに対して、次の3点を確認したうえで愛知県と不自由展実行委員会で和解が成立し、和解調書を作成した[104]。

（1）再開の時期は（これまでの協議で出された）「六日から八日を想定」ではなく前提とする

（2）「開会時のキュレーションと一貫性を保持すること」とは、展示空間内

での展示の位置、方法の改善の可能性を含む。具体的には、協議中で、不自由展出品作家の了解のもとで行う。

(3) 検証委の中間報告については、不自由展委員会としての意義は留保する。展示再開に向けて、ゴールが見えたように思えた。

「(展示再開を担当することになった）ラーニングチームと不自由展実行委は、ロジスティックをどうするのか、ツアー形式をするのだったら、どうするのかを詰めていた」。ツアー形式については、「説明があることは良いことだ」と合意した[105]。

写真1-8「#YOurFreedom プロジェクト」

ところが、「写真撮影全面禁止」を巡って、条件が折り合わない[106]。9月末の大村知事と津田とのやり取りから、すでに伏線はあった[107]。

　　　不自由展を巡って不自由展実行委と知事の間でずっと燻っていた問題が写真撮影です。様々な折衝があって開始時点で、写真撮影はOKだけど、SNSは禁止にしました。27日の時点で再開の方向性は決まりましたが、再開にあたって大村知事は撮影を嫌がりました。実際再開するとなると不自由展実行委は写真撮影を認めるように言うことは容易に予想できました。再開前と

同じ展示にということが条件ですからそれは当然の話でもあります。しかし、その時点で大村知事は、「再開はしてもいいが、するからにはできるだけトラブルの種は摘みたい。だから写真撮影は絶対駄目だ」という態度でした。

　28日の円頓寺デイリーライブを見ているときに、知事から電話があり、再開後の写真撮影を認めるのかどうか議論になりました。僕はもちろん写真撮影はOKでSNS投稿禁止という従前の条件を継続することを望んでいましたが、知事の決意も固そうだった。なので、大村知事に真正面から不自由展実行委に写真撮影禁止と伝えるのではなく、一切手荷物持ち込み禁止という方針を伝え、結果として写真撮影ができなくなる方向性で再開の条件を詰めることを提案しました

　問題は25日の「厳重注意」とされたことで僕が不自由展実行委との再開条件協議から外されていたことです。表立って交渉に参加することができなかった。しかし、知事が再開後の写真撮影を禁止したい意向がある以上、絶対に揉めることは予想できた。なので、不自由展実行委と再開の方法について詰めていたキュレーターとラーニングチームには、「検証委員会に、できるだけ早く不自由展実行委側と写真撮影の条件を詰めてほしい」と伝えていました。「お客さんを守るために何も持ち込ませない、それで交渉してくれ」と、念押ししていたんですが、その努力も空しく検討委員会の不手際により、最後大きな混乱を招くことになります。キュレーターと、不自由展実行委と検証（検討）委員会が参加するMLがあったのですが、再開で合意した翌日の10月1日から4日間、写真撮影についての話を一切していなかったんです。キュレーターとラーニングチームは、関係を良くしようとしているので、（先方が）不機嫌になる話はしない。これは正しい態度だったと思います。最後に折り合いを付けなければいけない最大のポイントなのだから、検討委員会がいち早く条件を彼らに示して交渉すべきでした。そうした調整作業を一切やらず、検討委員会の金井委員が5日のフォーラムの前日の深夜になって「写真撮影はなしでお願いします」と一方的に不自由展側に伝えてしまったのです。これでは交渉も何もありません。不自由展実行委員会が、大激怒したのも当然です[108]。開催前に僕が間に入ってやっていたような知事と

不自由展実行委間の調整作業を一切せず、自分たちの都合だけで事を進めようとした。検討委員会は9月21日のフォーラムも不自由展実行委を登壇させずに混乱を招きましたが、再開にあたっても最後にこのような大チョンボをやらかす。混乱させるだけさせてその尻拭いは全部自分を含む現場にやらせるのか、と絶望的な気分になりました。

　展示再開は全く見通せないとの情報が、複数から筆者の耳に入ったのはこの頃だ。

　10月5日（土）、10月6日（日）には、国際フォーラム「『情の時代』における表現の自由と芸術」が開催された。前日の晩のやり取りがあったことから、国際フォーラムの進行中にも、交渉が行われた。しかし、結論はでなかった。6日、山梨座長から不自由展実行委員会に、「写真撮影禁止」「少女像の撮影はスタッフが行い、郵送やメールで送る」などの知事回答が伝えられた。それに対して、不自由展実行委員会側は、写真撮影禁止に真っ向から反論した。「山梨座長は再度知事との交渉を約束した」[109]。「22時前後、トリエンナーレ実行委員会と不自由展実行委員会が再開条件について合意」[110]した。「八日午後に再開するも試験運用として写真撮影禁止、九日から禁止解除」で折り合った。

　「アーティスト側からのプレッシャーもありました。タニアをはじめとして、10月5日の国際フォーラムまでに再開を決めないと永遠にないと。やるべきことは全部やったので最後は祈るような気持ちでしたが、最終的には、知事が折れてくれました。大村知事に対して当事者からは様々な評価があるでしょうが、最終的に自分のプライドよりも現場の判断を優先したこの"妥協"は立派だったと思います」[111]と最後の綱渡りの局面を津田は振り返る。

　「10月8日午後からの再開とし、それに伴い一部を除くすべての中断・変更していた作家の展示の再開が決定」[112]した。10月7日に、「一部報道機関が8日からの再開をスクープしたことを受け、18時過ぎに、トリエンナーレ実行委員会が、『表現の不自由展・その後』を10月8日午後から再開することを正式決定」[113]した。

展示再開へ

　10月8日（火）、関係者は、薄氷を踏む思いをしながらも、すべての展示が再開した。「12時、ReFreedom_Aichiが『Jアートコールセンター』を開設」[114]した。筆者も、再開後の会場を訪ねた。レジーナ・ホセ・ガリンドの《LA FIESTA #latinosinjapon》の映像作品も上映されていた（写真1-9）。写真1-6と1-9を見比べてほしい。愛知県在住のラテンアメリカ移民労働者グループのために、パーティーを催した作品だ[115]。映像から流れるラテン系の音楽を聴き、作家も参加する出演者のダンスを見ていると、展覧会全体に陽光が差し込むようだった。7月31日（水）のオープニング・アフター・パーティで会話を交わした作家の笑顔が思い浮かぶ。それ以外の展示も、すべて再開した。とくに、パク・チャンキョン《チャイルド・ソルジャー》[116]、イム・ミヌクの《ニュースの終焉》[117]は、8月6日（火）の開幕当初から見られなくなっていた（写真1-10：1-11）。これまでとは全く異なる展覧会を見に行った高揚した気分に捕らわれた。

写真1-9 レジーナ・ホセ・ガリンド《LA FIESTA #latinosinjapon》（2019）

写真1-10　パク・チャンキョン
《チャイルド・ソルジャー》
（2017-2018）

写真1-11 イム・ミヌク《ニュースの終焉》（2019）

閉幕日の10月14日（月・祝）「15時、参加作家の代表者などが、『あいち宣言（あいちプロトコル）』草案最終版を大村知事に提出」[118]した。5日に草案が公開され、6日に、国際フォーラム終了後、「サナトリウム、東京の無人島プロダクションを結び、専門家や一般の人々を交え」[119]、議論してきたものだ。

同日20時、あいちトリエンナーレ2019が閉幕した。閉幕後、大村知事と津田芸術監督の姿が、アーティスト、ボランティアらに囲まれ、円頓寺会場のインフォメーションセンター前にあった。大村知事の円頓寺会場での閉幕後の挨拶を紹介したい。

> 大団円でフィナーレを迎えることができた。考えさせられることがたくさんあった。政治家24年やっている。なんでこんなことになったのか。日本が違ってきてないかと。人と違っていい。意見が違っていい。違って当たり前。論破するのはいい。それは仕事でやってきた。立場が違うことを理由に、批判はいい。攻撃は？　弾圧はいかんという思いだ。こういう仕事やっていると血が騒ぐ。押さえるのが苦労した。（あいちトリエンナーレを）続けていかないといけない。とにかく続けるのが大事だ。2022に向けて始動したい[120]。

３ 閉幕後

無事閉幕を迎えたものの、文化庁の補助金不交付決定の問題は残されたままだった。

文化庁長官、愛知県、名古屋市の動き

10月15日（火）の衆院予算委員会で、宮田亮平文化庁長官は、政府参考人として、福山哲郎議員から「宮田長官、これ、もう一回、長官として不交付の撤回はもう一度再検討するべきだとお話しいただけませんか」との質問に対し、次のように答弁した[121]。

表現の自由は極めて重要であります。今後とも大変大切であると思っております。

　他方、今回の決定は申請者の手続上の問題です。その一点に通じております。もし誤解が生じるようでありましたら、理解が得られるように努力してまいりたいというふうに考えております。

　11月8日（金）に、9月26日（木）にスタートした「ReFreedom_Aichi」の署名が10万を超えた。アーティストらが、文化庁で宮田亮平長官に直接署名を提出しようとした。ところが、宮田長官に会えないどころか、「小さな倉庫とも通路ともいえるような場所」しか用意されない。納得いかないアーティストらは、提出を拒否した[122]。「ReFreedom_Aichi」の呼びかけに応えた日本文化政策学会を含む約10団体は、その場で声明を共同提出した[123]。宮田文化庁長官の煮え切らない態度に批判が強まる。

　10月24日（木）、愛知県が、文化庁の補助金不交付決定に対して、補助金適正化法に基づき不服申出書を提出した[124]。他方で、10月中旬、河村市長は、「芸術祭開催費用の市負担分を支払うかどうかを判断するため、市として検証委員会を設置する考えを示し」[125]ていた。

最終報告書と第一次提言

　12月18日（水）、「あいちトリエンナーレのあり方検討委員会」が「『表現の不自由展・その後』に関する調査報告書（案）」（最終報告書）と「『今後のあいちトリエンナーレ』の運営体制について（第一次提言）（案）」を発表し、大村知事に提出した。その概要を紹介しよう。

　最終報告書は、総数で67万人以上の来場者があり、前回を10％以上上回ったこと、一日あたりの来場者数が、2019年に開催された国内の美術展中で最大規模であったこと、チケット収入は前回の1.5倍で予想値を7,000万円上回ったことなどから、総じて成功とした。一方で、キュレーション（展示の仕方）等に多くの問題点があったとし、芸術監督に起因するリスク（判断ミス・

錯誤等）を回避・軽減する仕組み（ガバナンス）が、あいちトリエンナーレ実行委員会及び県庁に用意されていなかったとした。

　今後の「あいちトリエンナーレ」の運営体制について（第一次提言）は、1）会長に民間人の起用、2）専門家らで組織する諮問機関（アーツカウンシル的組織）を設置して、芸術監督の選任にあたること、3）県美術館への指定管理者制度の導入などが提言された[126]。

　筆者は、同日、共同通信の取材に「市民と対話し合意形成を」というタイトルで、次のようにコメントした[127]。

　　愛知県設置の検討委員会の最終報告は、「表現の自由」に関する制約が強まっている社会情勢に関する分析が不十分だ。芸術監督の独断専行をどう防ぐのかに終始し、根本的な解決策を示せていない。実行委員会会長への民間人起用などはやむを得ない面もあるが、会長権限の強化は芸術祭の内容を平凡にさせてしまう恐れもある。一度中止された不自由展の再開は、出展アーティストに市民も加わって勝ち取った成果と言える。この経緯を踏まえ、あいちトリエンナーレを「表現の自由」擁護の象徴として積極的に位置づけ、展示の在り方について市民と地道に対話をして合意形成を図っていくべきだ。今回の最終報告や提言は各地の芸術イベントに一定の影響を与えるだろうが、運営体制を官から民に安易に移すということではなく、「芸術の公共性」とは何かといった社会的な議論の場を設けて時代を見つめた処方を模索する取り組みが求められる。

　同日、「あいち宣言（あいちプロトコロル）」の最終案が、参加作家の代表者などによってまとめられ、あいちトリエンナーレ実行委員会が受け取った[128]。

‖あいちトリエンナーレ実行委員会運営会議の開催と
‖あいちトリエンナーレ2022に向けた動き

　12月26日（木）には、開催結果概要や、「あいちトリエンナーレのあり方検討委員会」からの提言等を報告する目的で、あいちトリエンナーレ実行委

員会運営会議を開催した[129]。運営会議は、閉幕後は翌年の3月に開催するのが慣例となっている。この時期に開催するのは異例だった。「政治性の強い表現に税金を使うべきでない」と論陣を張ってきた河村たかし名古屋市長が、あいちトリエンナーレ実行委員会会長代行の立場で出席した。「こんなことをやれば集まるに決まっている。多くの日本人の心を踏みつけた。大失敗で謝罪してほしい」「大村氏の独裁独断だ」と従来の主張を繰り返した。これに対して、大村知事は、「『芸術祭の事業計画と予算は名古屋市も参画して3月に実行委で議決した』と反論した」。大村知事が、河村市長に「『他の委員に迷惑。場所を移そう』と制止する一幕もあり」、会議はかなり荒れたようだ[130]。

　2020年1月15日（水）に、「県議会最大会派の自民党県議団は（中略）『立ち止まって考えてほしい』と申し入れ」た。「次回開催に向けた経費が盛り込まれる可能性がある」ことから、県議団が、10日に総会を開いて対応を協議し、「昨年、昭和天皇の肖像を含む版画を燃やす場面がある映像作品が展示されたことなどに改めて批判が噴出した」[131]。

　こうした自民党県議団の申し入れを受け、愛知県の方針が、1月25日（土）に新聞報道される。「運営組織の在り方を見直す会議を四月以降に立ち上げる方針を固め」、「二〇二〇年度の当初予算案には、会議の費用などは計上されるが、次回の経費は見送られる見通し」[132]だと伝えられた。2月13日（木）には、愛知県の2020年度一般会計当初予算案が発表された。「『あいちトリエンナーレ』の事業費は1200万円超を計上し」、「3年前の17年度当初予算比で3分の1ほどだ」。だが、「20年度は芸術祭の運営体制を見直す準備組織を設ける予定で、次回（22年）開催が決まれば、補正予算で追加分を計上する」[133]とのことだった。毎回開催翌年度から次回開催経費が計上され、次回開催に向けての実行委員会の開催、芸術監督の選任などを行っていた。当初予算で次回経費が見送られることで、2022年開催が危ぶまれるようにも思えたが、杞憂に終わった。また、2020年度一般会計予算発表に先立ち、2月4日（火）、大村知事が組織体制見直し案を発表する。「従来の実行委員会を、芸術祭の運営に当たる組織委員会と、開催経費を負担する協賛組織の推進協議会に分離」[134]し、概ね「あいちトリエンナーレのあり方検討委員会」の第一次提言に

即した内容だった。

文部科学大臣新人賞と文化庁の補助金減額交付決定

　2020年3月に入って、文化庁から2つの意外な発表が行われた。

　1つ目が、高山明が文部科学大臣新人賞を受賞したことだ。3月4日（水）、文化庁は、「Jアートコールセンター」を立ち上げた高山明に、「令和元年度（第70回）芸術選奨文部科学大臣新人賞（芸術振興部門）」を贈ることを公表した[135]。芸術振興部門の選考審査員には、大友良英（音楽家）、熊倉純子（東京藝術大学教授）、島敦彦（金沢21世紀美術館館長）、吉本光宏（ニッセイ基礎研究所研究理事）など、芸術祭に関わったものや、文化政策研究者らが名を連ねていた[136]。いずれも文化政策に一家言ある選者らで、さもありなんというメンバーだ。ただ、文化庁内部にも不交付決定に対する抗議に賛同する声があることを推測するには十分だった。

　2つ目が、あいちトリエンナーレ補助金減額交付の決定である。昨年9月の文化庁の補助金不交付決定に対する訴訟の提訴期限が3月26日（木）に迫っていた。そうしたなか、3月23日（月）午後、「文化庁は補助金を6600万円余りに減額して交付する方針を固め」[137]たと、NHKが報道した。23日晩に、大村知事が臨時で記者会見を行い、詳細な説明を避けながら、「文化庁側と折り合った」と説明した[138]。ことの詳細やその評価については、第6章3に譲る。

名古屋市の検証委員会

　3月27日（金）、名古屋市の「あいちトリエンナーレ名古屋市あり方・負担金検証委員会」が開かれ、未払いの負担金を不交付とする報告書案をまとめた。委員5人の賛否は、3対2で分かれたものの、座長の賛意を含む賛成多数で承認された[139]。

　筆者は、共同通信の取材に、「文化活動萎縮に懸念」というタイトルで、次のようにコメントしている[140]。

名古屋市の検証委員会報告書は、熟議を尽くした結論なのか疑問だ。全額拠出すべき債務はないと結論付ける根拠として、企画展「表現の不自由展・その後」の一時中止を巡って運営会議が開催されなかった点などを挙げ、手続き上の瑕疵（かし）があったと強調する。しかし当時の状況を考えると時間的にも利害調整の困難さから言っても、会長である愛知県知事がトップダウンで決めざるを得なかった。市は負担金全額を拠出すべきだ。

　報告書で強調された「政治的中立性」は権力者が市民を黙らせるために使ってきた方便だ。政治的中立性を過度に強調することは、多様な表現を認めないことにつながる。今回の決定が今後、市民の文化、表現活動の萎縮につながらないか懸念している。

　上記報告を受け、3月27日（金）、河村市長は、負担金のうち未払いの3,400万円を支払わないことを、愛知県へ通知した[141]。それに対して、4月21日（火）、大村知事は、負担金の支払いを求め、あいちトリエンナーレ実行委員会が原告となり、名古屋市を提訴する手続きに入ったことを明らかにした。20日には、委員に訴訟への賛否を問う書面を送付したところ[142]、その結果は、委員21名中、賛成14名、反対0名、棄権7名だった。それを受け、5月1日（金）、大村知事は、市が20日までに支払わない場合は、市を提訴する方針を表明した[143]。5月14日（木）、市は、市議会経済水道委員会で、松雄俊憲観光文化交流局長が、「『支払わないと県に回答する』との考えを示した」。「市議からは、『新型コロナウイルスで対応を優先するべきでケンカしている時ではない』」などの意見が相次いだという[144]。市は、20日支払いに応じないことを正式に決定し[145]、大村知事は、21日に市を提訴した[146]。

　こうした愛知県の対応に関連し、6月2日（火）午後、高須克弥（美容外科「高須クリニック」院長）らが政治団体を設置し、大村知事のリコールを求めることを発表した。河村市長から自身への次の電話がきっかけだと高須は話す[147]。

　（大村知事が）名古屋市を相手取って、『トリエンナーレ（実行委員会）に不払いのお金を払わなければ裁判を起こす』と言って。本当に裁判を起こさ

れて、それを河村市長が非常にお怒りになられて、『こんなことを許してえ
えんかね』と電話をくださいましたので。

あいちトリエンナーレ組織委員会（仮）の設立準備

　4月27日（月）、大村知事の定例記者会見で、あいちトリエンナーレ2022
の組織委員会の会長候補が発表された。大林組代表取締役会長大林剛郎である。大林は、森美術館理事、テート美術館インターナショナル・カウンシル
メンバー、ニューヨーク近代美術館インターナショナル・カウンシル・メン
バーなどを務める。愛知県は、「現代美術への造詣が深い、海外の現代美術に
も知見を有する、などを要件に人選を進めていた」という[148]。

　また、6月3日（水）、芸術監督の選出を行う「アドバイザー会議」（芸術監督
の選出及び会長への助言を行う機関）の委員候補者4人を発表した。青柳正規（多
摩美術大学理事長／元文化庁長官）、建畠晢（多摩美術大学学長／あいちトリエンナ
ーレ2010芸術監督）、寺内曜子（現代美術作家／元愛知県立芸術大学教授）、山梨俊
夫（国立国際美術館長）である。山梨は、「あいちトリエンナーレのあり方検討
委員会」の座長を務めた（第7章2後述）[149]。

　6月12日（金）、やや唐突に県は、「組織委員会の設立を、当初計画の夏か
ら、秋ごろに延期するなど、開催の準備を全体的に遅らせると発表した」。
「仮称を『新・国際芸術祭』と発表」し、「芸術祭の名称変更を検討する方針
も明らかにした」。「アドバイザー会議」には、「他分野のメンバーを加える可
能性もある」という。「県議会最大会派の自民党県議団で、複数の議員から異
論が出ていた」と伝えられている[150]。

　2008年、建畠が芸術監督就任の際、提案したのが「あいちトリエンナー
レ」の名称だ。県は「トリエンナーレ」という言葉が馴染みがないことを理
由に、仮称として使っていた「あいち国際芸術祭」を推した。しかし、建畠
が、3年に1回継続していくことを言挙げすることに意味があると考え、押し
切り、4回の歴史を積み重ねてきた。自民党県議団は、そうした積み重ねを
切断し、物議を醸す芸術祭をやめさせようとしているのではないか[151]。

4 あいちトリエンナーレ2019以外のできごと ——「ひろしまトリエンナーレ」など

　ここまでで、あいちトリエンナーレ2019にまつわる事態をとりあげてきたが、それ以外の芸術祭や美術展に及ぼす検閲ともいうべき余波が、2019年秋以降収まらない。本節でまとめて紹介しておきたい。

　10月27日（日）から開幕した「KAWASAKIしんゆり映画祭」で、慰安婦問題を扱った映画『主戦場』の上映が中止された。「出演者の一部が『学術研究のため』と説明されたのに、商業映画として公開され」たとして、6月に提訴したことが発端だ[152]。8月5日（月）、川崎市が「裁判中の作品を上映することは難しい」と主催者に伝える。予算の半額に近い600万円を、市が負担していた。幾度かの話し合いの後、主催者は上映中止を決めた。11月1日（金）には、主催者、市民、映画関係者を交えた議論の場も設けられた[153]。そして、「是枝裕和監督ら映画関係者や市民らから上映中止への抗議が相次ぎ、方針を撤回」する。映画祭最終日の4日（月・祝）に上映した[154]。

　三重県伊勢市では、10月29日（火）～11月3日（日）に開催された市展で、市在住の花井利彦（グラフィックデザイナー）の「私は誰ですか」と題するポスターの展示が、市民の安全を損なう恐れがあるなどとして、不許可とされた。「黒の背景に赤く塗られた手が描かれ、左上に慰安婦をイメージした像の写真がコラージュされてい」た。「兵庫県相生市では、10月に開催された美術展で、地元書道家の男性（78）が『滅び行く町相生』と題して出展した書道作品を巡り、主催した市の教育委員会が『美術展にふさわしくない』として撤去を求め」た。男性が拒否したため、展示は継続されたという[155]。

　余波は国外にも及ぶ。「日本・オーストラリアの友好150周年を記念し、ウィーンの美術館『ミュージアム・クオーター』で9月下旬から」、美術展「Japan Unlimited」が開かれていた。10月30日（水）に、現地の日本大使館が公認撤回を通知した。「展示作品は日本の首相や昭和天皇を題材にしており、ツイッターなどで『反日』だと批判が出ていた」[156]。

　2020年に入ってからの2つの出来事を紹介しよう。

2020年9〜11月に開催予定だった「ひろしまトリエンナーレ2020 in BINGO」が中止された。

　2019年10〜12月、尾道市百島でプレイベントの1つとして「百代の過客」が開催された。百島では、柳幸典（現代美術作家）が、旧百島中学校舎をアートセンターとして活用するプロジェクトを、2012年11月から「アートベース百島」として展開してきた。プレイベント「百代の過客」は、4回の連続対話企画と、4か所の企画展示（土日祝日のみ）からなる。会場の1つである「アートベース百島」では、「不自由展・その後」に出展していた小泉明郎や大浦信行の作品が展示された[157]。とくに、大浦の映像作品《遠近を抱えて Part Ⅱ》が上映されたことで、県に多くの批判が寄せられた。

　2020年3月に、県は、「実行委員会や企画部会とは、別に展示内容を事前選定する検討委員会設置の方針を」表明した。いわゆるアート委員会で、委員は、「観光・経済・芸術の各分野から知見を有する者」を7名程度で、しかも選定は「原則全会一致」とした。「美術界からは『検閲に当たるのではないか』として大きな反発が起こ」る。中尾浩治総合ディレクターは、「県の姿勢を『検閲的だ』と批判して」、3月末に辞任した。2020年4月10日（金）には、主催する実行委員会（会長＝湯﨑英彦・広島県知事）が、新型コロナ感染拡大を理由と説明し、中止を決めた[158]。

　たしかに、実行委員会、かつ第三者的組織が関与する点で、主体が行政とまでいえないこと、他に発表の場があることから、上記アート委員会の関与が、判例上の検閲（狭義）にはあたらないのかもしれない（第7章2後述）。しかし、発表前に審査し、介入を認める点で、抑止効果も大きく、問題だ。この点、あいちトリエンナーレ2022で設置されるアドバイザー会議についても、同様に検閲（広義）の懸念があることには注意が必要だ。「アドバイザーからのアドバイスと事前検閲的行為の差異はグレーゾーンである」と、第5回「あいちトリエンナーレあり方検討委員会」で太下委員も指摘している（第7章2参照）。また、相馬千秋（NPO法人芸術公社代表理事／あいちトリエンナーレ2019キュレーター）は、「危機管理は、100％リスクを無くそうとすると、何もしないという決断にしかならない」と「ひろしまトリエンナーレ」の事例を

引き合いに出す。そのうえで、リスクを抱えつつ、事業の実現可能性や、そのための対応策を考える発想が大切だと説いている（第10章2参照）。

　大浦信行については、前記映像とは別の作品で、もう1つのできごとがあった。大浦の2018年制作の「遠近を抱えた女」が、2019年「10月、山形国際ドキュメンタリー映画祭の関連イベントで国内初上映された」。「このときは、抗議もなく」、2020年「2月にベルギーで開かれた国際映画祭でも、3千本以上の応募作からオープニング作品の1つに選ばれ、上映された」。しかし、「国内では配給会社や映画館から『クレームが来た時に対応できない』などと上映が断られ」る。4月11日（土）からネットで公開された[159]。

〈注及び参考文献〉

1　あいちトリエンナーレ実行委員会、前掲書，2020年b.

2　本段落のここまでの記述について、前掲書（あいちトリエンナーレ実行委員会，2020年b，220ページ．）による。

3　本段落のここまでの記述について、レセプションに参加した筆者の見聞による。

4　当該文について、前掲書（あいちトリエンナーレ実行委員会，2020年b，220ページ．）による。なお、文化庁幹部が課長級職員であることは、柴山昌彦文化相の8月2日午前の閣議後会見による（朝日新聞社「表現の不自由展に批判、菅官房長官『事実確認して対応』」『朝日新聞DIGITAL』〈2019年8月2日〉，2019年．）。

5　当該文について、「中間報告」（あいちトリエンナーレのあり方検証委員会，2019年a，16ページ，https://www.pref.aichi.jp/soshiki/bunka/gizigaiyo-aititori3.html〈参照2020年5月1日〉．）による。

6　中日新聞社「『消された』芸術 自由問う」『中日新聞』（2019年7月31日朝刊），2019年，28ページ；朝日新聞社「日韓論争の少女像 九条の俳句… 表現の場 奪われた作品展」『朝日新聞』（2019年7月31日朝刊），2019年，30ページ．

7　ここまでの《平和の少女像》に関する記述のうち、「」内は、キャプションを引用した。

8　津田大介（あいちトリエンナーレ2019芸術監督）の提案により、一部の作品が展示され、資料コーナーが設けられたことは、「あいちトリエンナーレ2019『表現の不自由展・その後』に関するお詫びと報告」（ブログ）（津田大介，2019年b，https://medium.com/@tsuda/〈参照2020年5月1日〉．）による。

9　当該文について、展覧会場を視察した筆者の見聞にもとづく。

10　岡本有佳・アライ＝ヒロユキ『あいちトリエンナーレ「展示中止」事件 表現の不自由と日本』岩波書店，2019年，29ページ．

11　あいちトリエンナーレのあり方検証委員会「別冊資料1 データ・図表集」，2019年b，2ページ，https://www.pref.aichi.jp/soshiki/bunka/gizigaiyo-aititori3.html（参照2020年5月1日）．

12　あいちトリエンナーレのあり方検証委員会，前掲中間報告，2019年a，16ページ．

13　あいちトリエンナーレ実行委員会，前掲書，2020年b，221ページ．

14　当該文について、前掲中間報告（あいちトリエンナーレのあり方検証委員会，2019年a，17ページ．）による。

15　和田政宗「ツイッター（2019年8月1日;2日）」，2019年．https://twitter.com/wadamasamune（参照2020年5月1日）．

16　小坪しんや「【抗議先リスト】慰安婦像を税で展示、愛知県。文化庁の助成事業。昭和天皇の御真影を焼く映像も？大村知事は辞職妥当か？【許せない人はシェア】」（2019年8月1日），2019年，https://samurai20.jp/2019/08/oomura/（参照2020年5月1日）．

17　当該文について、「大村知事一問一答『行政がコミット、芸術祭でなくなる』」（朝日新聞社，『朝日新聞DIGITAL』〈2019年8月3日〉，2019年．）による。

18　朝日新聞社，前掲記事（2019年8月2日），2019年．

19　NHK「『表現の不自由展・その後』中止の波紋」『クローズアップ現代＋』（2019年9月5日），2019年a，https://www.nhk.or.jp/gendai/articles/4324/（参照2020年5月1日）．

20　あいちトリエンナーレのあり方検証委員会，前掲資料，2019年b，2ページ．

21　津田芸術監督の会見に関する記述は、「津田大介氏『変更含め検討』表現の不自由展、抗議殺到」（朝日新聞社，『朝日新聞DIGITAL』〈2019年8月2日〉，2019年．）による。「」は、引用．

22 あいちトリエンナーレ実行委員会「『表現の不自由展・その後』について津田大介芸術監督が会見を行った際に配布したステートメントです」（2019年8月2日）, 2019年a, https://aichitriennale.jp/news/2019/004011.html（参照2020年5月1日）.

23 本段落のここまでの記述は、展覧会場を視察した筆者の見聞にもとづく。

24 「『撤去しなければガソリンの脅迫も』企画展中止に知事」（朝日新聞社,『朝日新聞DIGITAL』〈2019年8月3日〉, 2019年.）の記事を一部要約して記載した。

25 2020年5月7日津田大介（あいちトリエンナーレ2019芸術監督／ジャーナリスト）へのインタビュー。

26 岡本有佳・アライ＝ヒロユキ, 前掲書, 37；65-66ページ.

27 あいちトリエンナーレのあり方検証委員会, 前掲資料, 2019年b, 2-3ページ.

28 朝日新聞社「制限時間10分、強制終了も不自由展、電凸対策の効果」『朝日新聞DIGITAL』（2019年10月16日）, 2019年.

29 当該文について、「『登壇すると愛知の件ばかり注目される』津田大介氏シンポ中止」（神戸新聞社,『神戸新聞NEXT』〈2019年8月9日〉, 2019年, https://www.kobe-np.co.jp/news/sougou/201908/0012594237.shtml〈参照2020年5月1日〉.）による。

30 吉田隆之「『不自由展問題』突然飛び火神戸市困惑 シンポ『政治的意図なかった』」『神戸新聞』（2019年8月10日）, 2019年a, 27ページ.

31 アクティブ・ミュージアム「女たちの戦争と平和資料館」（wam）「あいちトリエンナーレ2019『表現の不自由展・その後』をめぐるうごき／「慰安婦」関連ニュース・トピックス」, 2019年, https://wam-peace.org/ianfu-topics/7739（参照2020年5月1日）.

32 日本文化政策学会「『あいちトリエンナーレ2019』における『表現の不自由展・その後』の中止に対する声明を発表します」, 2019年.

33 日本文化政策学会「プレスリリース／日本文化政策学会が『表現の不自由展・その後』の中止に対する声明を発表 〜表現の自由／芸術の自由への抑圧から、民主主義のさらなる発展・成熟へ〜」, 2019年.

34 2019年8月17日開催のトークイベントでの津田の発言。

35 アクティブ・ミュージアム「女たちの戦争と平和資料館」（wam）「あいちトリエンナーレ2019「表現の不自由展・その後」を再開するため、脅迫犯らを検挙等、警察の責務を果たすよう求めます」, 2019年, https://wam-peace.org/news/7726（参照2020年5月1日）.

36 2019年8月17日開催のトークイベントでの津田の発言。

37 吉村洋文「ツイッター（2019年8月4日）」, 2019年, https://twitter.com/hiroyoshimura（参照2020年5月1日）.

38 NHK, 前掲番組, 2019年a.

39 中日新聞社「黒岩・神奈川知事が持論 あいちトリエンナーレ企画展『表現の自由逸脱』『開催は認めない』」『東京新聞TOKYO Web』（2019年8月28日朝刊）, 2019年.

40 NHK, 前掲番組, 2019年a.

41 2020年5月7日津田へのインタビュー。

42 愛知県県民文化局文化部文化芸術課「あいちトリエンナーレのあり方検討委員会」, 2019年a, https://www.pref.aichi.jp/soshiki/bunka/aititoriennale-kennsyou.html（参照2020年5月1日）.

43 朝日新聞社「『不自由展』中止、愛知県が検証委設置へ 課題洗い出し」『朝日新聞DIGITAL』（2019年8月10日）, 2019年.

44 2020年5月7日津田へのインタビュー。

45 愛知県県民文化局文化部文化芸術課, 前掲Web, 2019年a.

46 当該文は、前掲書（あいちトリエンナーレ実行委員会，2020年b，222ページ.）による。「」は、引用。

47 BTCompany「あいちトリエンナーレ2019、国内外の参加アーティスト72組が声明を発表。『芸術祭の回復と継続、自由闊達な議論の場を』／HEADLINE／NEWS／MAGAGINE」『美術手帖』（2019年8月6日）（2019年，https://bijutsutecho.com/magazine/news/headline/20295（参照2020年5月1日）.

48 あいちトリエンナーレ実行委員会，前掲書，2020年b，232ページ.

49 あいちトリエンナーレ実行委員会，前掲書，2020年b，232ページ.

50 津田が長者町のシンポジウムで紹介した当時の議論に関する記述は、2019年8月17日開催のトークイベントでの津田の発言。

51 Maximilíano Durón, *Artists Demand Removal of Work from Aichi Triennale Following Censorship Controversy*, ARTnews,2019,Retrieved May 1,2020, from https://www.artnews.com/artnews/news/aichi-triennale-2019-work-removal-13112/.

52 あいちトリエンナーレ実行委員会，前掲書，2020年b，235ページ.

53 ペドロ・レイエス，あいちトリエンナーレ実行委員会，前掲書，2020年b，19ページ.

54 2020年5月7日津田へのインタビュー。

55 2020年5月7日津田へのインタビュー。

56 2020年5月7日津田へのインタビュー。

57 2020年5月7日津田へのインタビュー。

58 津田の発言について、「津田大介氏、あいちトリエンナーレ問題を語る。『組織化されたテロ行為』『展示再開はハードル高い』」（西山里緒『BUSSINESS INSIDER』，2019年，https://www.businessinsider.jp/post-196784〈参照2020年5月1日〉.）の記事を参照した。「」は引用。

59 あいちトリエンナーレ実行委員会，前掲書，2020年b，235ページ.

60 大村知事のレターに関する記述は、前掲書（あいちトリエンナーレ実行委員会，2020年b，235；240ページ.）による。

61 「多賀宮 TAGA－GU」、「サナトリウム」に関する記述は、前掲書（あいちトリエンナーレ実行委員会，2020年b，235ページ.）による。

62 あいちトリエンナーレ実行委員会，前掲書，2020年b，243ページ.「」は引用。

63 本段落のここまでの記述は、前掲書（相馬千秋，あいちトリエンナーレ実行委員会，2020年b，31ページ.）を参照した。「」は引用。

64 本段落に関する記述は、「あいちトリエンナーレ2019参加アーティスト 記者会見 主催：日本外国特派員協会《全編ノーカット》」（2019年9月10日）（ニコニコ動画，2019年，https://www.nicovideo.jp/watch/so35662437〈参照2020年5月1日〉.）による。

65 プロジェクト「ReFreedom_Aichi」に関する記述は、「Projects」（ReFreedom_Aichi，『ReFreedom_Aichi』2019年，https://www.refreedomaichi.net/〈参照2020年5月1日〉.）を参照した。

66 文化庁「令和元年度（第70回）芸術選奨文部科学大臣賞及び同新人賞の決定について」，2020年a，https://www.bunka.go.jp/koho_hodo_oshirase/hodohappyo/92070201.html（参照2020年5月1日）.

67 あいちトリエンナーレ実行委員会，前掲書，2020年b，94ページ.

68 Good Morning「ReFreedom_Aichi——あいトリ2019を『表現の自由』のシンボルへ」，2019年，https://camp-fire.jp/projects/view/195875（参照2020年5月1日）.

69 「あいち宣言・プロトコルの経緯」については、「『あいち宣言・プロトコル』起草の経緯について」（2019年12月18日）（あいちトリエンナーレ実行委員会，2019年b，https://aichitriennale.jp/news/2019/

004419.html〈参照2020年5月1日〉.）の一部を要約した。「」は引用。

70 岡本有佳・アライ＝ヒロユキ，前掲書，52ページ．

71 あいちトリエンナーレ実行委員会，前掲書，2020年b，243ページ．

72 9月12日の面談に関する記述は，前掲書（あいちトリエンナーレ実行委員会，2020年b，248ページ．）による。「」は引用。

73 不自由展実行委員会の仮処分申請に関する記述は，前掲書（岡本有佳・アライ＝ヒロユキ，2019年，51ページ．）による。「」は引用。

74 2020年5月7日津田へのインタビュー。

75 2020年5月7日津田へのインタビュー。

76 愛知県県民文化局文化部文化芸術課「表現の自由に関する国内フォーラムを開催します」2019年b，https://www.pref.aichi.jp/soshiki/bunka/domesticforum.html（参照2020年5月10日）．

77 本項の国内フォーラムに関する記述は，参加した筆者の見聞と，「『表現の不自由展』中止問題 検証委や出展作家らがフォーラムを開催（2019年9月21日）」（THE PAGE，2019年a，https://www.youtube.com/watch?v=-p14VEv11T0〈参照2020年5月1日〉.）による。

78 2020年5月7日津田へのインタビュー。

79 本段落のここまでの記述は，前掲書（岡本有佳・アライ＝ヒロユキ，2019年，49ページ．）による。

80 岡本有佳・アライ＝ヒロユキ，2019年，前掲書，49ページ．

81 本段落のここまでの記述は，前掲書（あいちトリエンナーレ実行委員会，2020年b，250ページ．）による。「」は引用。

82 あいちトリエンナーレ実行委員会，前掲書，2020年b，92-93ページ．

83 あいちトリエンナーレのあり方検証委員会，前掲中間報告，2019年a，95ページ．

84 愛知県県民文化局文化部文化芸術課，前掲Web，2019年a．

85 朝日新聞社「不自由展・津田監督に厳重注意、自らへは？知事が会見」『朝日新聞DIGITAL』（2019年9月25日），2020年．

86 あいちトリエンナーレ実行委員会，前掲書，2020年b，250ページ．

87 あいちトリエンナーレ実行委員会，前掲書，2020年b，250ページ．

88 岡本有佳・アライ＝ヒロユキ，2019年，前掲書，50ページ．

89 2020年5月7日津田へのインタビュー。

90 2020年5月7日津田へのインタビュー。

91 2020年5月7日津田へのインタビュー。

92 ここまでの補助金不交付に関する記述は，前掲書（あいちトリエンナーレ実行委員会，2020年b，250ページ．）；「芸術祭への補助金不交付決定『手続き不適切』文化庁」（2019年9月26日）（NHK，2019年b，https://www.nhk.or.jp/politics/articles/statement/23349.html〈参照2019年5月1日〉.）を参照した。

93 Change.org「文化庁は『あいちトリエンナーレ2019』に対する補助金交付中止を撤回してください。」，2019年，https://www.change.org/（参照2020年5月1日）．

94 当該文は，前掲書（あいちトリエンナーレ実行委員会，2020年b，250ページ．）による。「」は引用。

95 当該文は，「東京藝大や京都の文化庁でも。あいトリ補助金全額不交付への抗議デモ続く／HEADLINE／NEWS／MAGAZINE」（BTCompany，『美術手帖』〈2019年9月28日〉，https://bijutsutecho.com/magazine/news/headline/20638〈参照2020年5月1日〉.）による。

96 文化・芸術分野における公的資金助成外部審査員従事者等有志・賛同者「あいちトリエンナーレ2019不交付決定に対する声明」，2019年，http://ensuringfairness.mystrikingly.com/（参照2020年5月1日）．

97 当該文について，「トリエンナーレ学芸員・鷲田氏 文化庁の委員辞任」（中日新聞社，『中日新聞』〈2019年10月18日朝刊〉，2019年，33ページ）の記事による。

98 当該文は、「あいちトリエンナーレ補助事業外部審査員が辞任 不交付前に聴取なく『意味がない』」（毎日新聞社，『毎日新聞Web版』〈2019年10月3日速報〉，2019年.）の記事による。

99 あいちトリエンナーレ実行委員会，前掲書，2020年b，251ページ.

100 あいちトリエンナーレ実行委員会，前掲書，2020年b，251ページ.

101 大村知事の当該判断に関する記述は、2020年5月7日津田へのインタビュー。

102 あいちトリエンナーレ実行委員会，前掲書，2020年b，251ページ.

103 あいちトリエンナーレ実行委員会，前掲書，2020年b，251ページ.

104 和解に関する記載は、前掲書（岡本有佳・アライ＝ヒロユキ，2019年，54ページ.）による。確認した3点については、そのまま引用した。

105 本段落について、2020年5月7日津田へのインタビュー。

106 当該文について、前掲書（岡本有佳・アライ＝ヒロユキ，2019年，55ページ.）を参照した。

107 2020年5月7日津田へのインタビュー。

108 2020年5月7日津田へのインタビュー。

109 本段落のここまでの記述は、前掲書（岡本有佳・アライ＝ヒロユキ，2019年，56-57ページ.）を参照した。

110 あいちトリエンナーレ実行委員会，前掲書，2020年b，255ページ.

111 2020年5月7日津田へのインタビュー。

112 あいちトリエンナーレ実行委員会，前掲書，2020年b，255ページ.

113 あいちトリエンナーレ実行委員会，前掲書，2020年b，255ページ.

114 あいちトリエンナーレ実行委員会，前掲書，2020年b，257ページ.

115 あいちトリエンナーレ実行委員会，前掲書，2020年b，19ページ.

116 あいちトリエンナーレ実行委員会，前掲書，2020年b，54-55ページ.

117 あいちトリエンナーレ実行委員会，前掲書，2020年b，78-79ページ.

118 あいちトリエンナーレ実行委員会，前掲書，2020年b，258ページ.

119 あいちトリエンナーレ実行委員会，前掲書，2020年b，255ページ.

120 筆者の見聞にもとづく。

121 福山哲郎議員の質問と宮田亮平文化庁長官の答弁に関わる記述は、「第200回国会 参議院 予算委員会 第1号 令和元年10月15日」（国会会議録検索システム，2019年，https://kokkai.ndl.go.jp/#/detail?minId=120015261X00120191015&current=2〈参照2020年5月1日〉.）による。

122 署名提出拒否に関する記述は、「前回の署名提出（2019年11月8日）について」（ReFreedom_Aichi，『ReFreedom_Aichi』2019年，https://www.refreedomaichi.net/〈参照2020年5月1日〉.）を参照した。

123 筆者の見聞にもとづく。

124 あいちトリエンナーレ実行委員会，前掲報告書．2020年a，76ページ.

125 朝日新聞社「河村氏『だまされたのでは』トリエンナーレ検証委設置へ」『朝日新聞DIGITAL』（2019年10月15日）（参照2020年5月1日）.

126 筆者の責任で、「『『表現の不自由展・その後』に関する 調査報告書」（あいちトリエンナーレのあり方検討委員会，2019年a，https://www.pref.aichi.jp/soshiki/bunka/triennale-finalreport.html〈参照2020年5月1日〉.）；「『今後のあいちトリエンナーレ』の運営体制についての提言)」（あいちトリエンナーレのあり方検討委員会，2019年b，https://www.pref.aichi.jp/uploaded/life/267126_926237_misc.pdf〈参照2020年5月1日〉.）を要約した。

127 吉田隆之「社会情勢の分析不十分」『共同通信』（2019年12月18日），2019年b.

128 あいちトリエンナーレ実行委員会，前掲書，2020年b，260ページ.

129 愛知県県民文化局文化部文化芸術課トリエンナーレ推進室「あいちトリエンナーレ実行委員会運営会議の開催について」，

2019年，https://www.pref.aichi.jp/soshi
ki/bunka/20191226triennale.html（参照
2020年5月1日）

130 当該会議での2人の発言等は、「トリエン
ナーレ、河村市長「大失敗だ」大村知事
は反論」（朝日新聞社、『朝日新聞
DIGITAL』〈2019年12月26日〉. を参
照した。「」は引用。

131 本段落について、「次回トリエンナーレ
『立ち止まり考えて』」（中日新聞社『中日
新聞』〈2020年1月16日夕刊，〉14ペー
ジ.）の記事による。「」は引用。

132 中日新聞社「あいちトリエンナーレ運営 県、
検討会議立ち上げへ」『中日新聞』（2020
年1月25日朝刊），2020年，16ページ.

133 朝日新聞社「〔愛知〕新年度の県予算案、
就職氷河期世代支援2・5億円」『朝日新
聞DIGITAL』（2020年2月14日），
2020年.

134 中日新聞社「民間から会長チェック強化
トリエンナーレ混乱を教訓に」『中日新
聞』（2020年2月5日朝刊），2020年，26
ページ.

135 文化庁，前掲Web，2020年a.

136 文化庁「別紙 令和元年度（第70回）芸術
選奨受賞者一覧」，2020年b，https://
www.bunka.go.jp/koho_hodo_oshirase/
hodohappyo/92070201.html（参照2020
年5月1日）.

137 NHK「あいちトリエンナーレ補助金 交
付方針固める」（2020年3月23日），
2020年，https://www.nhk.or.jp/politics/
articles/lastweek/32262.html（参照2020
年5月1日）.「」は引用。

138 aichikoho「2020年3月23日 臨時記者会
見」，2020年a，https://www.youtube.com/
watch?v=leKxbHq0MVU（参照2020年
5月1日）.

139 あいちトリエンナーレ名古屋市あり方・
負担金検証委員会「あいちトリエンナー
レ名古屋市あり方・負担金検証委員会報
告書」，2020年a，；「あいちトリエンナ
ーレ名古屋市あり方・負担金検証委員会

報告書（参考）その他当委員会の委員の
個別意見」，2020年b，http://www.city.
nagoya.jp/kankobunkakoryu/
page/0000123556.html〈参照2020年5
月1日〉.）による。「」は引用。

140 吉田隆之「文化活動萎縮に懸念」，『共同
通信』（2020年3月27日），2020年.

141 本段落のここまでの記述は、「名古屋市未
払い分払わず トリエンナーレ負担金 愛
知県に通知」（中日新聞社、『中日新聞』
〈2020年3月28日〉、2020年、30ペー
ジ.）の記事を参照した。

142 本段落のここまでの記述は、「芸術祭負担
金支払い求め 実行委 名古屋市を提訴へ」
（中日新聞社『中日新聞』〈2020年4月22
日朝刊〉、2020年、26ページ.）の記事
を参照した。

143 本段落のここまでの記述は、「トリエンナ
ーレ負担 20日まで不払いなら 名古屋市
を提訴方針 実行委」（『朝日新聞』〈2020
年5月2日朝刊〉、2020年，25ページ.）
の記事を参照した。

144 5月14日、名古屋市の方針に関する記事
は、「トリエンナーレ不払い金 名古屋市
改めて拒否」（『朝日新聞』〈2020年5月
15日朝刊〉、2020年，23ページ.）の記
事による。「」は引用。

145 当該文について、「トリエンナーレ 名古
屋市不払い通知 愛知知事が『きょう提
訴』」（中日新聞社、『中日新聞』〈2020年
5月21日朝刊〉、2020年，27ページ.）に
よる。

146 朝日新聞社「トリエンナーレ負担金支払
い 実行委が提訴 市長『徹底的に闘う』」
『朝日新聞』（2020年5月22日朝刊），
2020年，22ページ.

147 東海テレビ「『知事は支持できない』…
"高須院長"らが大村愛知県知事の"リコ
ール請求"へ 吉村知事らも賛同」『-ニュ
ース-One』（2020年6月4日），2020年，
https://www.tokai-tv.com/newsone/（参
照2020年6月10日）.

148 本段落の記述は、「あいちトリエンナーレ、

組織委のトップ候補に大林組会長」(朝日新聞社『朝日新聞DIGITAL』〈2020年4月27日〉, 2020年.);「あいちトリエンナーレの会長候補に大林剛郎を選出。実行委員会に替わる組織委員会設立」(BT Company,「HEADLINE／NEWS／MAGAZINE」『美術手帖』〈2020年4月27日〉, 2020年, https://bijutsutecho.com/magazine/news/headline/21791〈参照2020年5月1日〉.)の記事を参照した。「」は朝日新聞記事の引用。

149「【知事会見】『あいちトリエンナーレ組織委員会(仮)』のアドバイザー会議の委員候補者が決定しました」(2020年6月3日)(愛知県県民文化局文化部文化芸術課トリエンナーレ推進室, 2020年, https://www.pref.aichi.jp/soshiki/bunka/20200603triennle.html.〈参照2020年6月10日〉.)による。

150 中日新聞社「22年開催『トリエンナーレ』組織委設立 秋に延期」(2020年6月13日), 2020年,「」は引用。

151 吉田隆之『トリエンナーレはなにをめざすのか——都市型芸術祭の意義と展望』, 水曜社, 2015年, 57ページ.

152 本段落のここまでの記述は、「慰安婦問題扱った映画、川崎市共催の映画祭で上映中止に」(朝日新聞社『朝日新聞DIGITAL』〈2020年10月24日〉, 2020年.)の記事を参照した。「」は引用。

153 本段落のここまでの記述は、「しんゆり映画祭が『主戦場』上映中止に至る経緯説明、市の懸念を『重く受け止めた』」(2019年10月31日)(映画ナタリー, 2019年, https://natalie.mu/eiga/news353539〈参照2020年5月1日〉.)の記事を参照した。

154 本段落のここまでの記述は、「慰安婦テーマの映画「主戦場」一転上映へ 川崎の映画祭」(朝日新聞社『朝日新聞DIGITAL』〈2019年11月2日〉, 2019年.)の記事を参照した。

155 本段落について、「『滅び行く町相生』作

品撤去要請 市教育委に書道家拒否、兵庫」(共同通信社,『共同通信』〈2019年11月5日〉, 2019年.)の記事を参照した。「」は引用。

156 本段落について、「『日本で問題起きた』反日批判で外務省急変 ウィーン美術展公認取り消し」(毎日新聞社,『毎日新聞Web版』〈2019年11月5日〉, 2019年.)の記事を参照した。「」は引用。

157 本段落のここまでの記述は、「アートベース百島」(ART BASE MOMOSHIMA, 2020年, http://artbasemomoshima.jp/artbase_concept.html〈参照2020年5月1日〉.)による。

158「ひろしまトリエンナーレ」に関する記述は、「ひろしまトリエンナーレ、空中分解へ。総合ディレクターが辞任し緊急声明を発表(BTCompany,「HEADLINE／NEWS／MAGAZINE」『美術手帖』〈2020年4月9日〉, 2020年. https://bijutsutecho.com/magazine/news/headline/21676〈参照2020年5月1日〉.;「『検閲』反発の中芸術祭開催中止 広島県、感染拡大を理由に」(『朝日新聞』(2020年4月11日朝刊), 2020年, 27ページ.)の記事を参照した。「」は引用。

159 本段落について、「不自由展で物議の美術家、新作をネット公開 配給つかず」(朝日新聞社,『朝日新聞DIGITAL』〈2020年4月14日〉, 2020年.)の記事を参照した。

第 2 章

展示中止にまつわる
当時の議論の整理

1 長者町地区で開催された 津田大介芸術監督登壇のトークイベント[1]

　津田大介芸術監督が登壇する2019年8月18日（日）の神戸市内のシンポジウムの中止を、8月9日（金）、神戸市の外郭団体など主催側が発表する（第1章2参照）[2]。津田芸術監督や愛知県が情報を発信できない状況が続いた。そうしたなか、筆者は、8月17日（土）津田監督とともに、長者町（名古屋市中区）で開催したトークイベントに登壇した。津田にとっても、久方ぶりに公に姿を見せる場となった。当該イベントでは、「表現の不自由展・その後」の中止にまつわる当時の議論を筆者が整理しながら、津田の見解を問う形を採った。ここで、当該イベントを紹介しつつ、改めて「表現の不自由展・その後」の展示中止直後の当時の議論を振り返っておきたい。

開催経緯

　そもそも、なぜ当該イベントが開催されたのか。

　話は、2017年8月4日（木）の長者町中縁会2017にさかのぼる。長者町では、あいちトリエンナーレ2010で会場となったことをきっかけに、長者町に関わる若者、アーティストらがアート活動を継続し、毎年、長者町大縁会というアートイベントを開催していた。2017年度は、やや規模を小さくして長者町中縁会を実施することにした。それとは別に、あいちトリエンナーレ2010・2013の閉幕ごとに、あいちトリエンナーレと長者町との出合いを振り返る「幻燈会」を開催していた。「幻燈会」とは、長者町の恒例行事となっており、延藤安弘（NPO法人まちの縁側育くみ隊代表理事：当時）がこれまでのまちづくりやアート活動を、自ら撮影した大量の写真を次々と紹介しながら、即興で語り尽くしていくのだ[3]。2017年春、あいちトリエンナーレ2016を振り返る「幻燈会」ができていないことを、延藤に伝えたところ、「吉田さん、やってください」といわれる。そうして、2017年夏に、「げんげんげんきな幻燈会〜長者町とアートが浮遊するミライ」と題し、長者町中縁会2017のプ

ログラムとして開催することになった。

　あいちトリエンナーレ2019の芸術監督に津田が決まったタイミングだった。当日会場から「津田芸術監督についてどう思いますか」と質問が飛んだ。それに対して、延藤は次のように応答した。

　　　津田さんは、芸術には分断された社会を「結んで開く力」があるという。
　　結んで開くは、まちとアートとの出合いなどを契機として、長者町のまちづ
　　くりでこれまでやってきたことだ。（長者町が会場となるか否かに関わらず）
　　津田さんと長者町でコラボレーションしたい。

　延藤の発意を受け、筆者は津田監督をゲスト、延藤をファシリテーターに、2018年春に長者町でのキックオフミーティング開催を目論む。ところが、2018年2月、延藤が急逝する。それでも、その遺志を継ぎ、長者町での津田監督のイベントが開催できないかと願っていた。

　そうした願いが実現するときは、突然やってきた。

　2019年度参議院選挙に際して、株式会社ARTLOGUEが全候補者に対して「文化芸術マニフェスト」を問い、サイトに紹介するプロジェクト「ManiA（マニア、Manifest for Arts）」を立ち上げた[4]。代表取締役CEOの鈴木大輔から、ManiAに関連して名古屋でもイベントを開催したいと筆者に連絡がある。話を聞くと、すでに東京では津田をゲストにトークイベントを企画しているという。ならば、名古屋でも「津田芸術監督を呼ぼう」と鈴木に掛け合った。

　津田から前向きな回答があり、7月下旬にタイトルを「ManiAミーティング＆ミートアップ＠愛知 文化と政治をむすんでひらく」とし、8月17日（土）の開催を決定した。長者町では2019年1月から12月にかけ長者町スクール・オブ・アーツが、アートやデザインの視点から都市農業を遊び、考える「ART FARMing（アート・ファーミング）」を開催していた。あいちトリエンナーレ2019会期中は、長者町の空きビル「綿覚ビル」をメイン会場に展覧会・ワークショップ・イベントなどを実施する[5]。そうしたイベントの1つとして、アート・ファーミングの協力を得て、津田が登壇するトークイベントを開催することになった。

ところが、「表現の不自由展・その後」の展示が中止され、事態が急変する。企画やマネジメントをともに担うのは、主催者ARTLOGUEと長者町でまちやアートに関わるボランティアスタッフだ。主催者の鈴木と芝田江梨、名畑恵（NPO法人まちの縁側育くみ隊代表理事）、寺島千絵（アートマネージャー）、筆者で、幾度も打ち合わせを重ねた。8月10日（土）、事務局から非公式に「安全な体制で開催しようとしていることに感謝している」とのメッセージが伝えられたことが、メンバーを勇気づけた。と同時に、民間での自発的なイベントに感謝の意を伝えるのが、事務局ができる精一杯なのだと改めて実感する。開催までの1週間、メンバーは警備計画を慎重に練るなど神経をすり減らす日々が続いた。お盆期間中で警備会社が見つからない。開催前日に、知人のつてを頼り、警備スタッフを自ら雇うことにした。

写真2-1 津田監督登壇のトークイベント（2019）長者町地区　撮影 西山里緒

▎4つの論点整理

　8月17日（土）夕刻、長者町の空きビルの1階で、市民ら約30名が参加し、トークイベントを無事開催することができた。名畑が司会を行い、鈴木のファシリテートのもと、筆者が整理した論点を津田に質問する形で、約2時間議論を行った。

　ここからは、トークイベントの際に作成した資料をもとに、当該イベント

での議論を振り返っておきたい。

　「あいちトリエンナーレのあり方検証委員会」の第1回目が、8月16日（金）に開催された翌日だった[6]。一方で、展示の中止から2週間が経過し、様々な識者が百家争鳴の状態にあった。以下では、筆者が2019年8月中旬時点で本件に関して整理した4つの論点について、識者の議論、筆者の見解、津田の見解をそれぞれ紹介していきたい[7]。なお、当時の時間の制約もあり、すべての資料にはあたれていない。

▌展示中止・再開の可否

　1つ目の論点の展示中止・再開の可否について、8月中旬の時点で識者の多くが中止に抗議し、再開すべきだとの論を張っていた。それに対して、太下義之（文化政策研究者／国立美術館理事）が、8月16日（金）、第1回の検証委員会で次の意見を発した[8]。

　　　安全性を確保したうえで展示を再開すべきだとの声明が非常に多いが、安全性を確保するのは極めて困難で、現実とはずれている。主体性を欠いた無責任な意見が、あたかも正しいかのように多数発信されている。

　筆者が調べた限り、当時「再開は難しい」と明確に公の場で発言したのは、太下が初めてだった。また、8月13日（火）、木村草太（首都大学東京教授・憲法学）が「『今回の展示中止はテロ事件だ』との認識が重要だ」とコメントしている（(2)後述）。ちなみに、太下も検証委員会でテロ行為だと明言している。

　識者の論調も替わりつつある潮目だった。筆者も、「かつてこうした抗議は右翼の街宣活動などが主だったが、今はファックスや電話（・メール）など『目に見えない怖さがある』」[9]と早くから現場の状況を伝え聞くことで、今回の事態をテロと認識していた。しかも、電凸やメール攻撃は、現場の深刻さが伝わらない点で、卑劣、かつ巧妙だ。テロ犯がどこまで企図しかたはともかく、憎むべきはテロなのに、批判の矛先が主催者にも向かう構図がある。そこで、太下の前記発言を受け、「なぜ主体性を欠いた無責任な意見が、あた

かも正しいかのように多数発信されている」のかに議論の争点をあてることにした。また、愛知県の発信の仕方も検証の必要があると考え、議論の前提として、愛知県がいかなる情報を発信し、それをメディアがどのように伝え、識者らがどう受け止めたのかを見ていきたい。

（1）愛知県の情報発信

　まず、展示中止の理由を、愛知県がどのように発信し、メディアがどう伝えたのか（表2-1）。

　第1に、8月2日（金）の津田芸術監督の記者会見では、「職員が精神的に疲弊していること」に言及がある。第2に、展示中止を発表した8月3日（土）の津田の記者会見では、1）事務局の電話がパンクしたこと、2）県立美術館や文化センターなど他施設も被害を受けていること、3）オペレーターまでもが精神的ダメージを受けていることが伝えられる。いわば、組織機能の一時停止である。第3に、8月3日（土）の大村秀章知事の記者会見では、「安心」かつ「円滑な運営」が担保できないとの説明がなされた。以上から、メディアというフィルターを通して見た愛知県が発した展示中止理由は、1）職員の精神的疲弊、2）組織機能の一時停止、3）円滑・安全な運営の担保ができない、の3つに整理できる。

　ここで、警察庁の刊行物から、サイバーテロの定義を見ておきたい。「政府機関等の重要インフラ事業者の基幹システムがサイバー攻撃を受け、国民生活や社会経済活動に甚大な支障が生じる事態」[10] とある。今回の事態について、自治体等が電凸やメールによる攻撃を受けることで、1）職員の精神的ダメージ、2）組織機能の一時停止を生じさせ、3）芸術祭の円滑・安全な運営に支障が生じたことは、サイバーテロに準じる電凸・メール攻撃テロと見てよいのではないか。とくに、1）職員の精神的ダメージについては、筆者も元愛知県職員として、統計を職務とした際に電話による苦情の受け付けを経験したことがある。1件受け付けるだけでも、そのことが丸1日頭から離れず、寝つけないこともあった。1日何件もそうした電話を受け続け、しかも本来の仕事が進まないことも併せた精神的ストレス・ダメージは想像を絶する。

表2-1 論点1　展示中止・再開の可否（愛知県の情報発信）

			発言者等	記事・インタビュー（抜粋・下線は筆者による、以下同）	出典
論点1 展示中止・再開の可否	愛知県の情報発信	8月2日	津田監督記者会見	会見は午後5時前、急きょ開かれた。（会見の）開催理由について津田氏は「一番の理由は抗議電話が殺到し、対応する職員が精神的に疲弊していること」と明かした。	朝日新聞DIGITAL（8月2日）
		8月3日	津田監督記者会見	8月3日津田監督記者会見「事務局の電話が常に鳴っている状況。一昼夜続いた。そこがパンクするとどうなるのか。つながらないとなると、つながるところはどこだ（と探した人が）、県立美術館や文化センターにかけ、激高した人の電話に対応しないといけない。（職員は）そういう電話が回されることも知らない。パンクするとそうなる、というマニュアルがありえたのかもしれない。正直、そういう想定を超えた抗議の苛烈（かれつ）さがあった。待たされてさらに激高している状態の人が、事情を知らないオペレーターの方に思いをぶつけてしまう状況だ。それがひっきりなしに続く状況を目の当たりにし、その光景を見て続けられないと判断した」	朝日新聞DIGITAL（8月3日）
		8月3日	大村秀章知事記者会見	8月3日大村秀章知事記者会見「これ以上、（抗議などが）エスカレートすると、安心して楽しくご覧になってもらうことが難しいと危惧。円滑な運営を考えた。昨日の朝には（美術館に）『撤去をしなければガソリン携行缶を持ってお邪魔する』というFAXもあった。こうした卑劣な非人道的なFAX、メール、恫喝（どうかつ）・脅迫の電話等で、事務局がまひしているのも事実だ」	朝日新聞DIGITAL（8月3日）
		8月3日	津田監督へのインタビュー	8月3日「表現の不自由展・その後」実行委員会の記者会見の際の津田監督へのインタビュー「ただ、そのなかで認識が違うと思ったのは、時間が足りないなかで、このままいったら現場で死人がでると思ったので、このまま続けることができないという僕の判断です」	ANNニュース（8月5日）

（2）識者の見解

　つづいて、メディアから伝えられた愛知県の情報を、識者はどう受けとったのだろうか（表2-2）。

　神野真吾（千葉大学准教授・芸術学）、宮台真司（首都大学東京教授・社会学）、唐澤貴洋（弁護士）はじめ多くの識者は、展示中止に抗議し、展示の継続を求めた。

憲法学の立場からは、横大道聡（慶應義塾大学大学院教授・憲法学）が主体を①展示作品の製作者 ②不自由展担当の実行委員会 ③観客 ④社会全体の4つに分け、④について憲法違反の可能性を指摘している。ただ、横大道は、「安全」は中止の理由になるかと論を立て、手荷物検査の厳格化などの検討が必要となるとの立場にたつ。前述した愛知県の中止理由について、3つ目の円滑・安全な運営の担保のみをとりあげているのだ。

それに対して、木村は、放火予告があり、「地元商店街等も会場となるなど、万全の警備体制を敷くことは難しい」。中止に追い込まれた点で、「脅迫されない権利」の侵害があり、「今回の展示中止はテロ事件だ」と断言する（前述）。しかも、不特定多数の電話についても展示中止の意図があったことを捉え禁止されるべきことを示唆する。前述した愛知県の中止理由のうち、2つ目の組織機能の一時停止を重視し、中止・再開の難しさを擁護する立場だ。

これらの論に対して、前述のとおり太下は、公の場（検証委員会）で初めて明確に展示再開が極めて困難であること、「主体性を欠いた無責任な意見が、（中略）多数発信されている」と指摘した。検証委員会の議事録によれば、テロ行為と明言している。

全く別の角度から論を張るのが、東浩紀（批評家・哲学者）だ。「『表現の自由』vs『検閲とテロ』」という構図は、津田さんと大村知事が作り

表2-2　論点1　展示中止・再開の可否（識者の見解）

			発言者等
論点1 展示中止・再開の可否	識者の見解	8月4日	神野真吾（千葉大学准教授・芸術学）
		8月9日	宮台真司（首都大学東京教授・社会学）
		8月9日	唐澤貴洋（弁護士）
		8月13日	木村草太（首都大学東京教授・憲法学）
		8月14日	横大道聡（慶應義塾大学大学院教授・憲法学）
		8月13日	東浩紀（批評家・哲学者／あいちトリエンナーレ元企画アドバイザー）
		8月16日	太下義之（文化政策研究者／国立美術館理事）

記事（抜粋）	出典
展示は継続されるべきという立場です。	HuffPost
警察と連携、別会場でボディーチェックなど対処法を編み出すべきなのに、それをせず3日間で中止したトリエンナーレ実行委員会や津田大介芸術監督は未熟すぎます。	朝日新聞DIGITAL
展示を中止したのは、あまりにも性急な判断でした。警備強化などで毅然（きぜん）たる対応がとれなかったのでしょうか。	朝日新聞DIGITAL
「今回の展示中止はテロ事件だ」との認識が重要だ。 ファックスでの放火予告があった。地元商店街等も会場となるなど、万全の警備体制を敷くことは難しい。このため主催者は中止の判断に追い込まれた。これは「表現の自由」の侵害というより、「脅迫されない権利」の侵害だ。 では、電話での抗議についてはどうか。今回、多数の抗議電話により、事務局や愛知県の業務はパンク状態にあったという。 通常、一人一人が電話で伝えること自体は、脅迫などを伴わない限り、禁止されるべきではない。不特定多数の力によって、展示会を中止させようとする意図があったのではないか。	沖縄タイムスプラス
「影響を受けた可能性がある主体として、大きく分けて、①展示作品の製作者 ②不自由展担当の実行委員会（民間のメンバー）③作品を見られなかった観客 ④社会全体の四つを考えることができます。」 **「安全」は中止の理由になるか。** 「警察に警備の強化をお願いしたり、手荷物検査を厳格化したりするなど、中止よりも穏当なやり方では本当に安全管理できないか、きちんと検討してから中止という判断に至ったのかどうかがポイントになると思います。」	朝日新聞DIGITAL
「表現の自由」vs「検閲とテロ」という構図は、津田さんと大村知事が作り出した偽の問題だと考えています。 ではなにが本質だったのか。それは「外交問題に巻き込まれたこと」と「市民への説明不足」だというのが、ぼくの考えです。 今回「表現の不自由展」が展示中止に追い込まれた中心的な理由は、政治家による圧力や一部テロリストによる脅迫にあるのではなく（それもたしかに存在しましたが）、天皇作品に向けられた一般市民の広範な抗議の声にあります。津田さんはここに真摯に向かい合っていません。 それら抗議は検閲とはとりあえずべつの問題です。日本人は天皇を用いた表現にセンシティブすぎる、それはダメだと「議論」することはできますが、トリエンナーレはその日本人の税金で運営され、彼らを主要な対象としたお祭りでもあります。芸術監督として顧客の感情に配慮するのは当然の義務です。	ツイッター
脅迫のFAXがあったことによって、これが展示中止の直接的原因となったと私は考えています。これは、表現の自由とは関係なく、明らかにテロ行為です。 安全性を確保したうえで展示を再開すべきだと声明が非常に多いが、安全性を確保するのは極めて困難で、現実とはずれている。主体性を欠いた無責任な意見が、あたかも正しいかのように多数発信されている。	第1回「あいちトリエンナーレのあり方検証委員会」

出した偽の問題だ」という。ここでも「テロ」だとの認識の薄さが伺われる。しかも、「テロ」でなく天皇性に関わる表現が問題だとするのは、第1章で紹介したアクティブ・ミュージアム「女たちの戦争と平和資料館」（wam）の声明とは対照的だ。また、税金を理由に表現の自由の制約を持ち出すのは、憲法に対する認識・理解を欠いている。

　以上から、横大道・東と、太下・木村では、テロの認識の有無や、展示中止理由として安全・円滑な運営のみに焦点をあてるか否かなどに、議論の差異点が見えてくる。そうだとすれば、愛知県の情報発信の戦略として、2つ目の組織機能の一時停止、かつテロだということを、世間・メディア・警察をはじめとした政府に対して、当該事態の当初より明確に、伝えていく方法もあったのではなかろうか。

（3）アーティストの見解

　さらに、アーティストの見解を見てみよう（表2-3）。8月3日（土）、「表現の不自由展・その後」実行委員会が、「戦後日本最大の検閲事件」とし、展示中止に「強く反対し、抗議した」。8月6日（火）、2019参加アーティスト72名が、「2019参加アーティスト・ステートメント」を発表した。8月30日（金）には、88名が賛同者に名前を連ねる。8月12日（月・祝）、ウーゴ・ロンディノーネはじめ9作家とペドロ・レイエスキュレーターが、「『表現の不自由展・その後』の展示中止を強く非難」し、「会期終了までの展示再開を主張」した。「展示を一時的に中止するよう主催者に要求」した。

（4）筆者の見解

　ここまでで、愛知県の情報発信、識者の見解、アーティストの見解を整理してきた。再度太下の問いかけに戻りたい。なぜ、「主体性を欠いた無責任な意見が、あたかも正しいかのように多数発信されている」のか。

　1つには、電凸の被害の実態が可視化しづらく、テロとの認識が共有されないことがある。2つには、エビデンスや正確な事実認定をともなわない専門家らの意見が散見されることである。3つには、愛知県の情報発信、とく

に大村知事の記者会見で、円滑・安全な運営が強調されたことも一因でないだろうか。初期の段階で、電凸やメール攻撃をテロと断言していれば、事態が変わっていたように思われるのだ。

表2-3　論点1　展示中止・再開の可否 (アーティストの見解)

			発言者等	記事 (抜粋)	出典
論点1 展示中止・再開の可否	アーティストの見解	8月3日	「表現の不自由展・その後」実行委員会	戦後日本最大の検閲事件となるでしょう。私たちは、あくまで**本展を会期末まで継続**することを強く希望します。一方的な中止決定に対しては、法的対抗手段も検討していることを申し添えます。	朝日新聞DIGITAL (8月3日)
		8月6日	2019参加アーティスト・ステートメント72名 (88名：8月30日)	展示は継続されるべきであった。	ART IT (8月7日)
		8月12日	ウーゴ・ロンディノーネはじめ9作家、ペドロ・レイエスキュレーター	「表現の不自由展・その後」の展示中止を強く非難するとともに、安全管理が徹底されたうえでの会期終了までの展示再開を主張。「私たちの作品の展示を一時的に中止するよう主催者に要求する」。	美術手帖 (8月14日)

(5) 津田の見解[11]

　津田からは、再開が容易でないとして、解決すべき3つの課題が挙げられた。

　1つ目が、メールについての脅迫犯が捕まっていないことである。「何回かに分けて中身がひどい脅迫メールが770通来ている」。「ようやく数日前に被害届を受け取ってもらった」という。言葉の端々に警察の捜査が進まないことへの苛立ちすら感じさせた。2つ目が、警備の問題である。行政の事業なので、青天井にコストはかけられないのだ。3つ目が、ネットと電話、とりわけ電話攻撃への対応策が見当たらないことである。

　そのうえで、苦渋の判断の胸の内を、津田は次のように語る。

　　(「表現の不自由展・その後」の) 中断・中止の決断は、テロに屈したことになる。その批判はまったくそのとおりだ。一方で、状況が続くことで現場で離脱者がでた。メンタルを痛めてまで続けていいのか。テロを実行する人

がいたらどうするのか。観客の安全も負わなければならない。職員の安全も守らなければいけない。

　アーティストの見解に対しては、8月12日（月）に愛知芸術文化センターでアーティストとのオープンディスカッションでの議論が紹介された。議論の様子やアーティストの揺れる心境を、津田は次のように話した。

　　　彼ら（アーティスト）が展示を中断することの意見を表明しているのは、状況に対する抗議である。ディスカッションして直接話すことで、（彼らは、）トリエンナーレ事務局がおかれている厳しい状況に関しては理解し、深く憂慮してくれている。彼らのほとんどはトリエンナーレ事務局を責めていない。ただし、アーティストなので、自分の表現は公にしたいと、（彼らは）中断を申し入れた。

写真2-2 津田大介あいちトリエンナーレ2019芸術監督（2019）
アート・ファーミングメイン会場・綿覚ビル ©名畑恵

　また、「中断する作家が増えると、トリエンナーレが崩壊に向かう。それはテロリストの思うつぼだ」と津田は率直に話したという。タニア・ブルゲラの発言も津田から紹介された（27ページ）。再録しておく。

すべてのアーティストが抗議する必要はない。アーティストがそれぞれの表現として、自分がどういうスタンスをとるのかということをやればいい。ディスカッションをしたうえで、展示を続ける。一時中断するアーティストもいる。我々は連帯する。連帯には事務局が入っているのだ。

｜ 展示内容の批判

2つ目の論点の展示内容の批判に話を移したい（表2-4）。

宮台は、「矛盾する二側面を両立させるには工夫が必要」とし、「エロ・グロ」表現がなかったことを「看板に偽りあり」と批判する。これについては、8月15日（木）に津田から出された「あいちトリエンナーレ2019『表現の不自由展・その後』に関するお詫びと報告」[12]に詳しい。

「展示を構成するための不自由展実行委との会議ではまさにその話になりました。展示内容に幅を持たせるため、近年の話題になった公立美術館での「検閲」事例——会田誠さんの《檄》や、鷹野隆大さんの《おれとwith KJ#2》、ろくでなし子さんの《デコまん》シリーズなども展示作品の候補に挙が」った。しかしながら、いずれも合意には至らなかったという。

これに対して、短期間の展示や、不自由展実行委の作品以外での他の作品での企画展ができたのではないかと江川紹子（ジャーナリスト）は批判する。しかし、江川の意見は、「表現の不自由展」についていえば、いずれの提案も自己検閲・事前規制にあたるとの批判は免れないだろう。しかも、電凸やメール攻撃があることを前提とする彼女の論は、自主規制をより助長させかねない。電凸やメール攻撃は絶対に許さないというメッセージがまずもって必要なのではないだろうか。

また、横大道は「政治的見解を忍び込ませるのは、表現空間にゆがみを生じさせる」「本来、そのような批判ではなく建設的な議論を起こすことが、芸術の専門家の腕の見せどころであったはずであり、キュレーションの工夫などによって技術的に不可能ではなかった」と指摘する。

これに対しては、津田から次のような回答があった[13]。

6月29日土曜日に表現の不自由展そのものをプレス向け、あるいは一般向けに発表する予定だった。建設的な議論がしたいというのが、一番の目標でもあった。そのためにどこかの段階で発表しないといけないと思っていた。実際、準備をしてきた。警察との連携でいうと、6月から2か月ぐらいかけ

表2-4　論点2　展示内容に対する批判（識者の見解）

			発言者等	記事（抜粋）	出典
論点2　展示内容に対する批判	識者の見解	8月9日	宮台	<u>矛盾する二側面を両立させるには工夫が必要で</u>すが、今回はなかった。「表現の不自由展」なのに肝心のエロ・グロ表現が入らず、<u>「看板に偽りあり」です</u>。特定の政治的価値に沿う作品ばかり。政治的価値になびけば、社会の日常に媚（こ）びたパブリックアートに堕する。政治的文脈など流転します。「社会の外」を示すから、政治的対立を超えた衝撃で人をつなげるのです。	朝日新聞DIGITAL
		8月9日	宮台	<u>政治的な文脈を利用してもいいけれど、そこに埋没したらアートではない。</u>トリエンナーレ実行委も津田氏も、アートの伝統と、それに由来する<u>パブリックアートの困難に無知だったようです。</u>	朝日新聞DIGITAL
		8月14日	横大道	ただ、批判や攻撃を避けるためにあえて<u>『両論併記』</u>して、制約されていない作品まで不当に持ち上げることは、結果として<u>表現の空間をゆがめる。</u>	朝日新聞DIGITAL
		8月14日	横大道	「しかし、芸術監督を置き、芸術的なすばらしさのみを根拠に作品のセレクションをしたかのような外観を作りながら、<u>政治的見解を忍び込ませるのは、表現空間にゆがみを生じさせることになります。</u>」――芸術的なすばらしさのみを根拠に作品のセレクションをした外観を作りながら、政治的見解を忍び込ませる」ということでいえば、表現の不自由展の作品についてもそのように批判する意見があります。「本来、そのような批判ではなく建設的な議論を起こすことが、芸術の専門家の腕の見せどころであったはずであり、キュレーションの工夫などによって技術的に不可能ではなかったと思います。	朝日新聞DIGITAL
		8月21日	江川紹子（ジャーナリスト）	<u>展示期間を最初から短く設定する</u>、というのもあり得ただろう。不自由展実行委は、そういう妥協は許せないと納得せず、自分たちの企画を引き上げたかもしれない。そうであれば、<u>芸術監督自身が作家と個別に交渉し、会田氏やろくでなし子氏らにも声をかけ、集まった作品で企画展を実行すればよかったので</u>はないか。	ビジネスジャーナル

て調整した。警備上の問題があるから、「本時点（会期直前）の発表がよい」という専門家の意見ももらい、決めていった。「表現の不自由展・その後」実行委員会とも、「発表をペンディングしましょう」と話した。

　第三者委員会でも検証される。ただ、結果論からいえば、この段階で発表していた方が、よかったのではないかと思われる部分がある。それが正解だったのかは、当事者なので迂闊（うかつ）にいえないところがある。同時に思うのは、1か月前に発表していても電話攻撃のような同じような事態が起きていた。8月1日の開幕前に一切この企画そのものの展示がおそらく無理なのではないか、ということに追い込まれていった可能性がある。

　非常にその辺が難しいところだと思う。事実から言えば、（当初予定していた）6月29日に発表ができなかったということが、情報公開という点も含めて、準備不足につながってしまった面がある。

▍今回の事態が表現の自由を後退させた？

　3つ目の論点が、「今回の事態が表現の自由を後退させたのか」である（表2-5）。8月3日（土）の記者会見で、津田は「表現の自由が後退する事例を作ってしまったという責任は重く受け止めている」と発言している。神野は、「このままで終われば、まさに蛮勇で、陣地が大幅に後退してしまう」と話す。

表2-5　論点3　表現の自由を後退させたのか?（津田・識者の見解）

			発言者等	記事（抜粋）	出典
論点3 表現の自由を後退させたのか?	津田の見解	8月3日	津田監督 記者会見	『電突』（電話による突撃抗議）で文化事業を潰すことができてしまうと言う成功体験、あしき事例を僕は今回、作ってしまった。表現の自由が後退する事例を作ってしまったという責任は重く受け止めている。	朝日新聞 DIGITAL （8月3日）
	識者の見解	8月4日	神野	このままで終われば、まさに蛮勇で、陣地が大幅に後退してしまうはずです。	HuffPost
		8月6日	曽我部真裕 （京都大学 大学院教授・ 憲法学／ 検証委員）	一方で、この息苦しさを劇的なかたちで可視化する結果となり、期せずして、目的の一端を達成したとも言えます。この問題をしっかり議論して、今後につなげていくべきです。	弁護士 ドットコム

一方で、曽我部真裕（京都大学大学院教授・憲法学／検証委委員）は、「この息苦しさを劇的なかたちで可視化する結果となり、期せずして、目的の一端を達成した」と指摘する。

　筆者には、必要以上に自主規制や委縮が進む社会を勇気づける先例になればという期待があった。そうした期待を裏切ったのが、電凸やメール攻撃によるテロだ。小林真理（東京大学大学院教授・文化政策）は、こうした事態が起きるまえから、「自主規制的な措置が安易にとられることが多くなっている」[14]と警鐘を鳴らしてきた。「自主規制とは、規制されたと考える者が声をあげることなくしては見えてこない」[15]と指摘する。後世の検証を待たねばならないが、かりにこうした事態がなかったら、知らない間に自主規制や委縮が進み、気が付けば戦争に突き進む社会になっていたかもしれない。今回政治家らが攻撃したのは、レッテル貼りした慰安婦や天皇に関する表現・芸術だ。2019年8月12日（月・祝）放送の『NHKスペシャル』「かくて"自由"は死せり～ある新聞と戦争への道～」でも伝えられたが、戦前、天皇の統帥権の名のもとに学問の自由・芸術の自由・表現の自由が徐々に封殺され、戦禍を正確に伝えない大本営発表が取り返しのつかない道を突き進んだ[16]。その歴史を忘れてはならないし、決して繰り返してはならないと思う。まさにそうした点からは、津田や今回の事態を炭鉱のカナリアとみることができるのではないか。

　さて、津田は、3つ目の問いにどう答えたのか[17]。

　この時（8月3日の記者会見）はこういう言い方をした。ただ、その後のトリエンナーレを運営するなかで、多少僕のなかで心の変化があって、あの3日で終わって、それで終了だったら悪しき事例だと思う。間違いなく、日本美術界における黒歴史を作ってしまったことになる。

　ただ、トリエンナーレは終わっていない。悪しき事例にしない形にしたい。1つは、今回起きてしまったトラブルに対して、具体的な対策のノウハウというものを広く一般に知見として残すこと。もう1つは、どうすれば、そのなかで説明してディスカッションをして展示ということをきちんと社会的に物議を醸すような展示を実現できるのか、ということを具体的なプロセ

スを可視化する。このことには、非常に意味があると思っている。

　そのためには、オープンディスカッションをこれから増やしていかねばならない。科学的な検証もしていかなければならない。

　自分は当事者でもあるが、あえて一歩進んだ言い方をすると、今回の事例で表現の自由が後退したのかと問われると、「寝た子を起こすか論」に近い違和感を覚える。今回の事例でこういう特定のテーマの表現をしたことによって、これだけの社会的な大きな反発がもたらせること、そのトリガーを自分は今回引いたわけだが、はたしてそれは後退なのか。「踏まなきゃいい」といって、多くの美術関係者の方がこれまでトリガーを踏まずにきたことの意味を自分は考える。

｜ 日本の芸術祭・社会の行方は？　対話は可能なのか？

　4つ目の論点「日本の芸術祭・社会の行方は？　対話は可能なのか？」について、識者の見解は、8月下旬の段階ではそれほど多くはない。宮台は、「アートの『心を傷つける』本質を伝える」「観客教育」が必須だとする。芸術祭の流行を踏まえた言及をしたのが、芸術家集団「カオス*ラウンジ」のキュレーターを務める黒瀬陽平（美術家・美術評論家）である。「観客と作品双方の多様性を守りつつ、『話が通じる』空間としての芸術祭をいかに設計してゆくか、現実的な議論をするべき」だという。

　これに対して、津田は次のように答えた[18]。

　　検証委員会でも公開フォーラムを実現するという話がでていた。それだけではなくて、もっといろんな機会を僕自身作っていきたい。この場自身もそういう1つである。この場をどう作っていくのか、民主主義の在り方、実施プロセスが問われていると思っている。自分の職責として議論は続けていきたいと思っている。対話が可能かという質問に対しては対話が難しい状況になっているが、会期が終わるまでには、「多少ほぐれたよね」という状況が作れればいいかなと思っている。頑張ります。

表2-6 論点4　日本の芸術祭・社会の行方は? 対話は可能なのか? (識者の見解)

		発言者等	記事（抜粋）	出典
論点4 日本の芸術祭・社会の行方は? 対話は可能なのか?	識者	8月9日 宮台	今後の地域芸術祭を成立させるには観客教育が必須になります。アートの『心を傷つける』本質を伝えるのです。今回の騒動は良い機会です。民衆、芸術家と政治家の劣化を世界中にさらして終わるわけにはいきません。	朝日新聞DIGITAL
		8月9日 黒瀬陽平（美術家・美術評論家）	2000年代以降、あいちトリエンナーレに限らず、国内では今多くの地域で、自治体が関わる芸術祭が開かれています。しかしその多くはアートという名前を利用した「町おこし」というのが実態で、今回のような事件をのりこえるための術（すべ）や知恵が蓄積されていない。地域に開くことで観客は多様になりますが、クレームや抗議に脆弱（ぜいじゃく）な今の体制では、作品の多様性が失われてしまう。今回の事件を受けて、観客と作品双方の多様性を守りつつ、「話が通じる」空間としての芸術祭をいかに設計してゆくか、現実的な議論をするべきでしょう。	朝日新聞DIGITAL
		8月14日 中島岳志（東京工業大学教授・日本政治思想史）	次の段階では、個人のツイッターやフェイスブックの書き込みにも攻撃が及ぶと思った方がいい。(中略) 単なる芸術家の問題とみて傍観していたら、いつか自分たちの日常が決壊し、大変なことになる	朝日新聞DIGITAL

2 「不自由」から「連帯」・「寛容」へ

　本章の最後に、4つ目の論点に関する私見を述べて終わりとしたい。

　神戸で津田監督のシンポジウムが中止され、ドミノ倒しが起きかねない状況に対して、長者町でトークイベントをなぜ開くことができたのかという点にさかのぼって考えてみよう。

　司会を務めた名畑から、トークイベント終了後の打ち上げで、次の発言があった[19]。

　　長者町はアートに揉まれて寛容性を育んできた。今回の事態が起こり、長者町でなければどこが議論の場を引き受けるんだと燃えた。これまで育んできた寛容性が試されていると思った。

長者町では2000年当初から延藤や名畑はじめNPO法人まちの縁側育くみ隊が、ワークショップなどを100回以上積み重ね、まちづくりに取り組んできた。そうした積み重ねのなかで、あいちトリエンナーレ2010・2013・2016との計3回の出合いがある。まちづくりに無関心な人たちが、まちのけん引役となったり、長者町に縁のなかった若者らがアート活動を始めたりした。芸術祭をきっかけに市民活動が起き、アートに揉まれてまちの寛容性を育んだのだ。そこから学ぶべきは、日常のまち・都市づくりと非日常の芸術祭の接続性・連続性だ。長者町は、「結んで開く」ことで、日常のまちづくりで寛容性を育んでいた。そうした寛容性を一層飛躍させたのが、アートやトリエンナーレとの出合いだった。それにとどまらず、こうして飛躍させた寛容性を日常に還元していく。アートをきっかけにまちのけん引役となった滝一之（名古屋長者町協働組合理事長）は、「アートが身近な存在となったことで、他者との共存により自己も繁栄すると考える方が増えた」[20]と語る。寛容性の日常と非日常の往還こそが、長者町の真骨頂なのだ。

　だとすると、小さなコミュニティ単位での寛容性の醸成、それが積み重なった都市の寛容性が、いまこそ求められるのだろう。ただ、そうしたことは、都市化の進展・コミュニティの衰退で容易でないのも現実である。SNSなどを駆使し、小さなシンポジウムをはじめとした議論の場を開き、憲法的価値観を共有できる仲間を勇気づけ、少しずつ増やしていく。そうした価値観を共有できない政治家をふるいにかけることはできるはずだ。

　一方で、黒瀬が指摘するように、芸術祭という非日常の空間で、多様な作品と多様な観客をいかに結んで開いていけばよいのだろうか。

　あいちトリエンナーレでは、今回も含め2010年から計4回の歴史を積み重ね、少しずつ異物を取り入れ多様な作品と多様な観客を結んで開く経験を積んできた。にもかかわらず、今回の事態に至ったのは、政治家の表現・芸術への介入を始め、想像以上に表現の自由が後退する状況があったと思われる。

　ドクメンタなどでは、当然のように社会全体の枠組みや既存の価値観に対して異議や問題提起する作品が展示されている。どうしてドイツでできるこ

とが、日本ではできないのか。あいちトリエンナーレの目的の1つである「世界の文化芸術の発展に貢献する」国際レベルの芸術祭に踏み出す一歩とするために、何が足りず、何が必要なのだろうか。

津田は、先のトークイベントで、次のように指摘する[21]。

　　今回あいちトリエンナーレの騒動は、大阪市長、大阪府知事、文部科学大臣、官房長官、そして当事者の名古屋市長、愛知県知事までいって、こんなに政治家が1つの文化事業について、発言するというのは前代未聞だ。（もちろん）それは必ずしも自分が望んだ結果ではない。

　　行政が文化事業を行う場合の公共性をどうとらえるか、という非常に重要な問題を提起している。だから、いろんなご意見を見ていると、「行政の文化事業なんだから、内容に政治家とか知事が口出しして当然だ」と、それに共感する方もたくさんいる。でも、「それは憲法上だめだ」という考え方もあって、なかなか溝が埋まらない。その溝を埋めるためにどうしたらいいのか。

　　だから、文化事業というのは、芸術と政治の距離が本来近いものだったのが、日本はあまり、そのこと自体が問われることは、それほど大きな問題ではなかった。今回のことをきっかけに問われかねない。ジャーナリストとして、交通整理をしながら、論点を明らかにし、議論していきたい。

また、津田から、3つ目の問い・論点に対する回答の一部を繰り返す形で、次の言葉があった[22]。

　　検証委員会の議論をオープンにし、こういう事態がおきたとき、どのように対処できるのか。ということのノウハウを全国の行政も民間も芸術祭を運営する自治体に、多く利用できるような形で公開していくことで、起きてしまっていることを意味あるものに変えることができる。

こうした知恵・知見を、行政・民間を問わない文化担当者、研究者、市民で共有し、それぞれの現場に還元していくことが求められよう。

本章の最後に、強く訴えておきたいことがある。

今回の事態は、現在の日本が「不自由」な社会であることを顕在化させた。しかし、神戸で津田監督のシンポジウムが中止され、ドミノ倒しが起きかねない状況で、議論の場を作り、「寛容性」を一歩前進させたまちがあったこと、それが長者町であったことだ。そうしたことを伝えたメディアは皆無だった。今回、約15社以上のメディア取材があったが、その多くが、津田監督が「『表現の不自由展・その後』の再開のハードルが高い」と語ったことを伝えるだけだった。

写真2-3 津田監督登壇のトークイベント（2019）長者町地区

津田について、イベントに関わったスタッフらが、「1つ1つ丁寧に質問に答える姿勢が印象に残った」と話していた。津田の言葉・姿勢が、表現の力として少しでも多くの人に伝わっていくことを願ってやまない。トークイベントで一番津田が伝えたかったのではないかと思われるメッセージを紹介しておきたい。

　　あの3日で終わっていたら、黒歴史だが、閉幕まで60日ある。少しでも
　　多くの市民・県民と対話して、表現の自由を後退させない状況を作っていき
　　たい。

仲間とともに開催準備に奔走し、トークイベントに参加し、津田と話をした。仲間や津田から勇気づけられたのは、何よりも筆者だった。本節のタイトルを、「『不自由』から『連帯』・『寛容』へ」とした。そうした未来の展望を持ちながら、市民・アーティスト・芸術文化専門職・行政・研究者が連帯し、芸術祭の内外で、ときには架け橋となりながら議論の場を作っていく必要がある。「不自由な」民主主義の危機から「寛容な」民主主義への戦い、その地道な積み重ねが、今こそ求められている。

〈注及び参考文献〉

1　本節に関する記述は、注をのぞき筆者の現場取材・見聞にもとづく。
2　神戸新聞社、前掲記事（2019年8月9日）、2019年.〔第1章 注29〕
3　長者町でのアートとまちづくりの経緯に関する記述は、吉田隆之『芸術祭と地域づくり──“祭り”の受容から自発・協働による固有資源化へ』（水曜社、2019年c.）に詳しい。
4　ARTLOGUE「ManiA」、2019年、https://www.artlogue.org/mania（参照2020年5月1日）.
5　長者町スクール・オブ・アーツ「ART FARMing（アート・ファーミング）」（ちらし）、2019年.
6　愛知県県民文化局文化部文化芸術課、前掲Web、2019年a.
7　表2-1〜2-6で識者等の見解について、その引用を紹介している場合は、原則として本文中の引用を省略した。
8　「会議録（2019年8月16日）／議事概要（あいちトリエンナーレのあり方検証委員会 第1回会議録）」（あいちトリエンナーレのあり方検証委員会、2019年c、https://www.pref.aichi.jp/soshiki/bunka/gizigaiyo-aititori1.html〈参照2020年5月1日〉.）での太下義之委員の発言を筆者が要約した。
9　吉田隆之、前掲記事（2019年8月10日）、2019年a.
10　警察庁「平成22年警備情勢を顧みて─特集『インターネットが警備情勢に与える影響』」『焦点』第279号、2011年、6ページ.
11　2019年8月17日開催のトークイベントでの津田の発言。
12　津田、前掲ブログ、2019年b.
13　2019年8月17日開催のトークイベントでの津田の発言。
14　小林真理「第8章 芸術の自由」小林真理編『文化政策の現在1 文化政策の思想』

東京大学出版会、2018年、129ページ.
15　小林、前掲書、2018年、129ページ.
16　NHK「かくて“自由”は死せり〜ある新聞と戦争への道〜」『NHKスペシャル』（2019年8月12日）、2019年c.
17　2019年8月17日開催のトークイベントでの津田の発言。
18　2019年8月17日開催のトークイベントでの津田の発言。
19　2019年8月17日名畑恵（NPO法人まちの縁側育くみ隊代表理事）へのインタビュー。
20　2016年6月22日滝一之（名古屋長者町協働組合理事長／滝一株式会社代表取締役）へのインタビュー。
21　2019年8月17日開催のトークイベントでの津田の発言。
22　2019年8月17日開催のトークイベントでの津田の発言。

第 3 章

なぜ展示中止が起きたのか

あいちトリエンナーレにまつわる事態から半年以上が経つ。本章では、なぜ「表現の不自由展・その後」の展示中止が、起きたのかを改めて振り返り、冷静かつ客観的な議論の呼び水としたい。

　その要因については、大まかに5つの見解に分類することができる。1）キュレーション等が不適切だったとの見解、2）SNS社会を踏まえた電凸対応等事前の準備が不十分だったとする見解、3）一部の政治家らの発言が電凸を煽ったとの見解、4）表現の自由が後退していたとの見解、5）政治と芸術が衝突したとの見解である。それぞれの見解を紹介しよう。

1 キュレーション等が不適切だったとの見解

　第1の見解は、津田大介芸術監督のキュレーション・展示方法が不適切だったとする。検討委員会の最終報告書はじめ、こうした津田芸術監督の責任論がくすぶる。美術関係者には、そうした見方をする者が少なくないようだ。ちなみに、5.で紹介する田中純（東京大学大学院総合文化研究科教授）の論稿[1]によれば、住友文彦（アーツ前橋館長）が、美術関係者の反応を次のように分類する[2]。

1）「対岸の火事」と見なす歴史系ミュージアムの反応
2）展示方法のテクニカルな問題とする者
3）作品の質を論じる者
4）美術のプロではない津田大介芸術監督が、美術のプロがかつて展示に失敗した作品を展示する企画を手がけた無謀さを指摘する者
5）当事者意識を持たず犯人捜しに終始する者
6）事態の単純化を恐れるあまり沈黙を守る者

　2）3）4）は、広くキュレーション等が不適切だったとの見解に含まれよう。本節では、上記住友の分類に従えば、2）に依拠する最終報告書の見解を、委員の発言等も引用し、紹介しておきたい。

　最終報告書は、「出来上がった展示は鑑賞者に対して主催者の趣旨を効果的、適切に伝えるものだったとは言い難く、キュレーションと、来訪者に対する

コミュニケーション上の多くの問題点があった」とする。具体的には、新作等が混じったり、「わいせつ性を理由に展示を禁止された作品等を展示しなかった」り、作品選定に疑問がみられるとし、「作品の制作の背景や内容の説明不足や展示の場所、展示方法が不適切」だとした[3]。

「あいちトリエンナーレのあり方検証委員会」で、キュレーションの問題を扱ったのが、金井直（信州大学人文学部教授／あいちトリエンナーレ2016キュレーター）だ。検証委員会の2回目で、彼は、「数に対して、ちょっとやはり窮屈すぎた」こと、大浦作品について、「20分間そこでじっくりと見るということは不可能であった」「（前略）その20分もの映像作品の中の問題になっているシーンのみを切り取って、SNSに上げるといったことが可能になってしまったということ、（中略）やはりもう少し予見できたのではないか」と指摘している[4]。

同じく検証委員の太下義之も、『タイムアウト東京』への連載で、「今回、多くのアート関係者が明確に学んだことは、『不自由展』のようなやり方をしてはいけない、ということである」「展覧会に先立って、また、期間中もできるかぎりエデュケーションプログラムを展開されるべきであったし、『アート教育』を通じた市民との対話が実施されるべきであった」「今回の『不自由展』の企画は極めてレトロで20世紀的であったと評価できる。もしこの『表現の自由』と『検閲』というテーマを取り上げる機会があれば、もっと我々の社会にとって意味のあるような今日的な形で取り上げていく必要がある」「ある種の偏りのある『不自由』な表現のみにフォーカスを当てた展示であった」と言及する[5]。

また、出展作家の小田原のどかも、2019年8月末の時点で、「様々な『声明文』や『態度表明』によって個別の作品が見えなくなった現状には、強い違和感を覚える」[6]としたうえで、「展示空間に対して出品作が多すぎる」[7]としている。

一方で、こうしたキュレーションを問題視する見解に、疑問を投げかける美術関係者がいる。

中間報告書に対する芸術監督の意見に併せて提出されたのが、遠藤水城（キュレーター、ビンコム現代美術センター芸術監督）と、椹木野衣（美術評論家）のコメントだ。遠藤は、「日本のアートシーンが見過ごしてきたもの、等閑視してきたものを批判的に検討する空間が生成していた。このような状況をして、

私は一段上の、クオリティの高いキュレーションが実現されたと捉えてい」[8]る。椹木は、「今回、『表現の自由』をめぐる問題を扱う展示が、津田芸術監督の発案で、あいちトリエンナーレのような公的な場で実現されたことは、第一義的には高く評価されるべきこと」[9]だ。

また、あいちトリエンナーレ2013キュレーターを務めた住友文彦は、「artscape」に寄せた論稿で、次のように述べる[10]。

> 展示方法や作品の優劣を問題視する必要はまったくないと私は考えている。（中略）キュレーターという職業の専門性として、積み上げられてきた経験や知識によって解決できる問題があると私も確かに考えるが、この展示は何よりもこれまでの美術展を批判的に検証するという可能性を持っていた。その作品選択や配置方法を否定するときの価値観は、この展示が批判するこれまでの美術展を前提にしているにすぎないはずだ。

こうしてみると、多くの専門家らが、電凸等による展示中止への抗議という点では一致できても、展示中止の主要因を、キュレーションの問題とするか否かでは、多様かつ様々な意見があることがわかる。誤解を恐れずにいえば、正解がない争点のようにも思える。

さて、最終報告書では、「特に強く批判を浴びた3つの作品はいずれも作者の制作意図等に照らすと展示すること自体問題はない作品だった」[11]とする。3つの作品とは、キム・ソギョン‐キム・ウンソンの《平和の少女像》、大浦信行の新作映像《遠近を抱えて PartⅡ》、中垣克久の作品《時代の肖像》である。

これに対して、先に紹介した太下は、「レトロで20世紀的」「ある種の偏りのある『不自由』な表現のみにフォーカスを当てた展示であった」とし、作品の選択を含む企画自体を、批判しているかのようだ。だが、「レトロで20世紀的」であっても、表現の自由が認められるべきであることは言うまでもない。そうした社会を許していいのかが問われているのではないか。

加えて、太下は、全米反検閲連盟（National Coalition Against Censorship;NCAC）が作成したマニュアル「Museum Best Practice for Managing Controversy」を

企業メセナの理論と実践　なぜ企業はアートを支援するのか
メセナと地域の新しい結びつきを詳細に考察・報告。文化政策研究者、実務者の必読書
9784880652375　　　　　　　　菅家正瑞 監修・編 佐藤正治 編　A5判並製　2,700円

まちづくりと共感、協育としての観光　地域に学ぶ文化政策
「共感」をカギに、8つの事例から新しい観光文化政策をもとに「まちづくり」を提案する
9784880651880　　　　　　　　　　　　　　井口貢 編著　A5判上製　2,500円

デジタルアーカイブ　基点・手法・課題
最前線で調査・分析し続けた著者が構築・公開・更新、著作権の処理法まで事例を概説
9784880652450　　　　　　　　　　　　　　笠羽晴夫 著　A5判並製　2,500円

文化政策学入門
文化政策の現実態を水平把握し論点を整理、実学視点から体系化を試みた初の入門書
9784880652306　　　　　　　　　　　　　　根木昭 著　A5判並製　2,500円

IBAエムシャーパークの地域再生　「成長しない時代」のサスティナブルなデザイン
独・ルール工業地域の再生プロジェクト。その成功理由を現地ルポと豊富な資料で伝える
9784880651798　　　　　　　　永松栄 編著 澤田誠二 監修　A5判並製　2,000円

団地再生まちづくり〈全5冊〉
欧米の成功例と国内の豊富な実践例を紹介。シリーズ①〜⑤刊行。オールカラー
9784880651743,2221,2924,3679, 団地再生研究会他 編著 A5判並製 ①1,800円 ⑤2,500円 他1,900円

ライネフェルデの奇跡　まちと団地はいかによみがえったか
旧東ドイツの団地再生事業の成功例を豊富な写真と図版で綴る。待望の邦訳。オールカラー
9784880652276　　　　W.キール他 著 澤田誠二・河村和久 訳　AB判並製　3,700円

社会・産業・歴史

アートプロジェクトのピアレビュー　対話と支え合いの評価手法
実際のプロセス、気づきを中心に多層的な視座から構成。図版・イラストを多用した入門書
9784880654812　　　　　熊倉純子 監修・編著 槙原彩 編著　A5判並製　1,600円

アートプロジェクト　芸術と共創する社会
「日本型アートプロジェクト」の概要と歴史、事例を学ぶための必読書。2刷
9784880653334　　　　熊倉純子 監修 菊地拓児・長津結一郎 編　B5変判並製　3,200円

子どもの貧困　未来へつなぐためにできること
生活保護や非婚率、少子高齢化などと関連づけ、取り組みと問題解決の方策を考察。2刷
9784880654393　　　　　　　　　　　　　　渡辺由美子 著　四六判並製　1,400円

現代産業論　ものづくりを活かす企業・社会・地域
ものづくりを、農業を含む広義の産業、自然との共生を図る循環型産業として捉え直す
9784880654362　　　　　　　　　　　　　　十名直喜 著　A5判並製　2,700円

経営理念を活かしたグローバル創造経営　現地に根付く日系企業の挑戦
中国現地での経営方策と経営理念の事例を紹介。企業経営の新しいモデルを捉え直す
9784880654270　　　　　　　　　　　　　　井手芳美 著　A5判並製　2,800円

新訂 幕末下級武士の絵日記　その暮らしの風景を読む
封建的で厳格な武士社会のイメージを覆した武士の絵日記。オールカラー決定版。2刷
9784880654591　　　　　　　　　　　　　　大岡敏昭 著　B5変判並製　2,500円

江戸時代の家　暮らしの息吹を伝える
豊富な図版を交えながら当時の暮らしを振り返り、住まいと暮らしの豊かさを考える。2刷
9784880654331　　　　　　　　　　　　　　大岡敏昭 著　A5判並製　2,200円

江戸川柳で読み解くお茶
茶の歴史と川柳に込められた風俗から日本人とお茶の深い関わりについて考える
9784880654058　　　　　　　　　　　清博美・谷田有史 共著　四六判並製　1,800円

黒髪と美女の日本史
「黒髪」の変遷と時代の文化・習俗との関係性を、豊富な図版を交え読み解く
9784880653020　　　　　　　　　　　　　　平松隆円 著　A5判並製　2,200円

新装版 化粧にみる日本文化　だれのためによそおうのか?
心理と行動、文化と風俗の2つの側面から、わが国の化粧をとらえなおす
9784880654799　　　　　　　　　　　　　　平松隆円 著　A5判並製　2,700円

冠婚葬祭の歴史　人生儀礼はどう営まれてきたか
日本の「儀礼文化」の変遷を、豊富な図版を交えながらわかりやすく解説する。2刷
9784880653501　　互助会保証株式会社・全日本冠婚葬祭互助協会編 B5判並製　1,000円

オペラ・音楽・芸術・アート

指揮者の使命 音楽はいかに解釈されるのか
音楽世界の解釈とは? スコアの価値とは? どう聴いたのしむのか? マエストロが熱く語る
9784880654713　　　　　　ラルフ・ヴァイケルト 著 井形ちづる 訳　A5変判並製　2,200円

[新装版] フラメンコ、この愛しきこころ フラメンコの精髄
歴史、主体、ジプシー。フラメンコをバイレ (踊り) の実践的視点から問い直す舞踏論
9784880654539　　　　　　　　　　　橋本ルシア 著　四六判並製　2,700円

[新装版] シューベルトのオペラ オペラ作曲家としての生涯と作品
舞台作品にかけた情熱と全19作品を解説し歌曲王の知られざる横顔を紹介する
9784880654522　　　　　　　　　　　　井形ちづる 著　四六判並製　2,500円

オペラの未来
あらすじを提示するだけでなく複合体として光を当て意味を明らかにする。巨匠の演出論
9784880654140　　　　　　ミヒャエル・ハンペ 著 井形ちづる 訳　A5変判並製　2,700円

オペラの学校
世界的巨匠ハンペ氏が教える、本当のオペラを知りたいと思う者たちへ向けた講義
9784880653631　　　　　　ミヒャエル・ハンペ 著 井形ちづる 訳　A5変判並製　2,200円

ヴェルディのプリマ・ドンナたち ヒロインから知るオペラ全26作品
女性を軸にヴェルディの「心理劇」の面白さを今までと異なる視点で解説
9784880654010　　　　　　　　　　　　小畑恒夫 著　四六判並製　3,200円

ヴァーグナー オペラ・楽劇全作品対訳集 《妖精》から《パルジファル》まで
全13作品をひとつに。現代語で読みやすい新訳、実用的な二分冊で刊行。2刷
9784880653372　　　　　　　　　　井形ちづる 訳　A5判製二分冊 特装函入　6,500円

[新版] オペラと歌舞伎
日本とイタリアでほぼ同時期に発生した2つの総合芸術。その虚構世界の類似性を探る
9784880652801　　　　　　　　　　　　永竹由幸 著　四六判並製　1,600円

オペラになった高級娼婦 椿姫とは誰か
美貌と教養で資産家や芸術家たちの羨望の的となった彼女らの背景を解き明かす
9784880653044　　　　　　　　　　　　永竹由幸 著　四六判並製　1,600円

日本オペラ史 1953〜
二期会設立後の日本オペラの歴史を詳細に記した研究者必携の資料
9784880652597 関根礼子 著 昭和音楽大学オペラ研究所 編 A5判函入上製　12,000円

日本オペラ史 〜1952
明治時代のオペラ移入期から1952年の二期会成立までの歩みを網羅
9784880651149 増井敬二 著 昭和音楽大学オペラ研究所 編 A5判函入上製　5,714円

五十嵐喜芳自伝 わが心のベルカント
日本を代表するテノール歌手であり、名プロデューサーの初の自伝にして遺稿
9784880652733　　　　　　　　　　　　五十嵐喜芳 著　四六判上製　1,900円

イタリアの都市とオペラ
オペラを舞台となった都市や歴史、伝説、楽派から紹介する。新たなオペラの魅力発見
9784880653747　　　　　　　　　　　　福尾芳昭 著　四六判上製　2,800円

オペラで愉しむ名作イギリス文学 チョーサーからワイルドまで
ワイルド『サロメ』など英文学を題材にした知られざる名曲26作品を解説
9784880651712　　　　　　　　　　　　福尾芳昭 著　四六判上製　2,800円

ヴォルフ=フェラーリの生涯と作品 20世紀のモーツァルト
モーツァルトの生まれ変わりと言われる彼の魅力を伊オペラ研究第一人者が紹介
9784880651958　　　　　　　　　　　　永竹由幸 著　四六判上製　2,800円

三河市民オペラの冒険 カルメンはブラーヴォの嵐
素人集団の市民オペラはなぜ成功したのか。感動のドキュメンタリー
9784880652672　　　　　　三河市民オペラ制作委員会 編著　A5判並製　2,200円

ラテン・クラシックの情熱 スペイン・中南米・ギター・リュート
知れば知るほど面白い。ピアソラ、ロドリーゴ、ヴィラ=ロボスらの魅力を紹介する
9784880653204　　　　　　　　　　　　渡辺和彦 著　四六判並製　2,300円

楽団長は短気ですけど、何か?
ビギナーネタから通ネタまで、クラシック音楽を縦横無尽に語る軽妙洒脱なエッセイ。2刷
9784880652023　　　　　　　　　　　　金山茂人 著　A5判並製　1,600円

楷書の絶唱 柳兼子伝
夫である柳宗悦を物心両面で支え、自らも演奏活動を続けた兼子の軌跡を描く
9784880650135　　　　　　　　　　　　松橋桂子 著　A5判上製　3,500円

紹介している。その一部を次のように引用する。

　　　この中で、「特に物議をかもしそうな懸念がある場合には、問題が発生する前に強力なコミュニケーション計画を作成・実施する」(NCAC2018:6)こと、および「実施に当たり困難が予想されるプロジェクトについては、その最初期の段階からキュレーターと教育担当者との間の対話と協力を計画し、前向きな市民参加の機会を設定する」(ibid.) ことが強く推奨されている。

　そのうえで、「物議をかもすことは想定されたはずである」として、「展覧会に先立って、また期間中でもできるかぎりのエデュケーションプログラムが展開されるべきであったし、『アート教育』を通じた市民との対話が実施されるべきであった」とする[12]。
　至極正論である。だが、電凸等で展示中止に追い込まれる事態まで想定するのは酷なように思える (2後述)。また、当時に時間を戻すと、表現の自由を争点にしたエデュケーションプログラムの展開は、人的・時間的・財政的制約の限界があったのではないか。
　ちなみに、あいちトリエンナーレでは、市民との事前の対話・議論の場として、2010から「トリエンナーレスクール」を開催している。そのきっかけを作ったのは、吉田有里アシスタントキュレーター (当時) だ。筆者は事務職員として彼女の思いをサポートし、事務局内の調整にあたった。展覧会の開催準備に忙殺されるなか、市民との対話の場を作る必要性がなかなか事務局に理解されなかった。頓挫しかけたところ、建畠晢あいちトリエンナーレ2010芸術監督の一押しに助けられ、実現できたことを昨日のことのように思い出す。開催前の現場の空気感というのは、そういうものなのだ。
　太下が引用した全米反検閲連盟 (NCAC) は、2018年に、前掲とは別のマニュアル「A Manual for Art Freedom/A Manual for Art Censorship」[13]を作成した。表表紙から開くと「A Manual For Art Censorship (芸術への検閲マニュアル)」が、裏表紙から開くと「A Manual for Art Freedom (芸術の自由へのマニュアル)」が読める仕掛けで合本されている。「A Manual For Art

Censorship（芸術への検閲マニュアル）」は、権力者に対して、いかに巧妙に検閲していくかを説いたものだ。権力者があからさまな検閲をするのは陳腐だと書かれ、タブーを作る、展示のやり方を批判するなどいくつかの方法が紹介されている。今回の企画を批判する論者も、天皇や戦争責任などのタブーに無意識に囚われているということはないだろうか、展示方法を批判することが、結果として検閲に加担する場合があることには、注意が必要だ。

2 SNS社会を踏まえた電凸対応等 事前の準備が不十分だったとする見解

　第2の見解は、電凸対応等事前の準備が不十分だったとする。

　「芸術監督はインターネットに精通した専門家であり、混乱は予見しえたはずだ」[14]との記載が、最終報告書で2か所に見られる。しかし、電凸対応は、芸術祭の運営に関わることだから、本来事務局や県の分掌であるはずだ。この点、津田が、最終報告書に対する意見で「展示を不快に思う勢力からの妨害に備えるのは、基本的には事務局の仕事であ」[15]るとしている。もっともな意見だ。最終報告書にも、検証ポイントとして、「事務局や県庁は、十分な警備や準備の体制を整備していたのか」と、事務局や県庁を主体として問いかけが行われている[16]。だが、事務局が、電凸を予見できたのか、準備が十分だったのかについては、踏み込んだ分析がされていない。

　最終報告書によりながら、津田の「あいちトリエンナーレ2019『表現の不自由展・その後』に関するお詫びと報告」（8月16日ブログ掲載）[17]で補足し、事務局の事前の準備について、紹介しておこう。

　最終報告書は、5月以降、事務局が幾度も警備に関する打ち合わせを不自由展実行委員会、津田芸術監督と行い、警察にも相談し、十分な情報共有を行っていたことを記す[18]。そして、津田の前記お詫び文によれば、6月末には、①展示場で暴れる来場者対策、②街宣車・テロ対策、③抗議電話対策の3つの懸念点を洗い出していた。②について、最終報告書は、「6月29日に記者発表し、出品作品のガイダンスが行われる予定だった」[19]とする。津田によれば、

「当初は1ヶ月前から内容を発表することでオープンな議論を喚起し、議論が深まった状態で会期に入ることを目指して」いたという。しかし、「1ヶ月前に内容を告知すること自体が大きなリスクになる、という意見を様々な専門家からいただき」「様々な議論を経て」、会期直前で内容を発表することにした[20]。この点、最終報告書には、当該「記者発表は、津田監督と不自由展実行委員会が独自に行うものと理解していた」[21]とし、「記者発表の実施の可否は津田監督が判断したとの認識であった」と記載がある[22]。

　①、②については、対策を講じていた。③についても、「7月10日に『音声案内装置』を導入し、苦情と通常の電話に振り分けができるよう準備した。また、録音機能も取り付けた」。「7月25日からは、苦情専用電話1台を増設した。電話機は25台体制であった」[23]。「A4サイズで20ページにわたる対応マニュアルと9ページ分の想定問答集を整備した」[24]。それでも、「抗議電話の数は想定をはるかに超え」「電凸という言葉を知っている職員は少なかった」という（最終報告書）。

　この点、津田は、安部敏樹（リディラバ代表理事）との対談で、「一定の炎上リスクは想定していたのか」という問いに対して、「それ（電凸対応）が芸術監督の仕事なのかという議論は別にあると思いますが」と留保をつけながら、次のように話している[25]。

　　（炎上するかもしれないという）準備はしていましたよ。ただ想定以上だったし、電凸されたときの初期対応として、録音付き電話を設置するのと回線数を増やしたんですが、それが間違いだった。

　　本来だったら、もっと絞らなければいけなかった。そうした対応は事務局に任せっきりになってしまっていたので、そこは芸術監督として反省すべきところですね。

　なお、5月8日に、「不自由展実行委員会より、2015年の不自由展開催時の警備マニュアルとして、A4サイズ1枚の資料が共有される」。「30日には、不自由展実行委員会、不自由展実行委員会の協力者、芸術監督、事務局で警備

に関する打ち合わせを行う」[26]。この会議で、岡本は、「直接対応を迫られる『電話応対』および展示会場監視スタッフへの事前レクチャーと現場でのケア」[27]を強調したが、「電話応対する人への事前レクチャーやケアを実施していなかった」[28]と主張する。これに対して、最終報告書には、「内容は民間主催の小規模イベントの経験に基づくものであり、トリエンナーレ実行委員会や警察としては、従前から実行している内容であった」[29]と記載があり、相互の主張がかみ合っていない。

　美術館の展示作品を見るものは、従来は、観覧者に限られていた。しかし、SNS社会の進展で、美術館の来訪者以外でも、作品を目にすることができ、しかも、一部が切り取られ、断片的な情報が誇張されて伝えられる事態が起きた。また、公務員には、「電話がかかってきたら、名前を名乗る。いかなる苦情電話であっても先方が切るまでこちらからは電話を切らない」という不文律があった。そうした慣習が通用しない世の中になったということであろうか。いずれにせよ、1日200件〜300件の電話が毎日掛かってくる事態までを想定した危機管理を求めるのは、酷なようにも思える。県職員としてあいちトリエンナーレ2010に携わった経緯に照らせば、事務局として当時の最善を尽くしたと考える。電凸対応については、第10章でも言及する。

‖ 3 一部の政治家らの発言が電凸を煽ったとの見解

　第3の見解は、「税金を使って政治性の強い芸術作品の展示・公演をすることは許されない」との一部の政治家らの発言が、電凸攻撃を煽ったとする（第5章参照）。最終報告書には、政治家らの発言がまとめて紹介されているものの、これらの発言が電凸を煽ったとまでは書かれていない。公式カタログには、8月1日（木）、「複数の政治家が否定的に言及。いわゆる電凸を煽る議員も現れ」[30]との記載がみられる。多くのメディアの記事・各団体の声明文で、政治家らの発言が電凸を煽ったとの言及がある。なかでも、8月2日（金）午前に、菅官房長官の「補助金交付の決定にあたっては、事実関係を確認、精

査して適切に対応したい」[31]、同日午後に、河村市長が「不自由展・その後」を視察後に、「本当に私の心も踏みにじられましたわ」[32]とそれぞれ発言したことの影響が大きかったのではないか。

4 表現の自由が後退していたとの見解

　第4の見解は、そもそも社会の表現の自由が後退していたからこそ、あいちトリエンナーレにまつわる事態が起きたとする。一方、「今回の事態で、表現の自由が後退した」との言説がいくつか見られた（第2章1参照）。

　しかし、NHKは、「政治的中立に行政が、より配慮する動きが全国で広が」り、「内容の変更を求めたり後援を断ったりするケースは、この5年あまりで分かっただけでも43件に上」ると伝える[33]。武藤祐二（美術研究者）も、直近10年間で美術作品が撤去、改変、中止、展示拒否された27事例を取り上げ、「国や自治体の美術館で、または国や自治体の資金が投入された展覧会」で起こった事例が3分の2を占めると指摘する[34]。

　また、小泉明郎（アーティスト／あいちトリエンナーレ2019出展作家）は、「5年前よりも今のほうが『公立美術館でできることが限られている。民間だってそれは同じ』（中略）『これはあいちトリエンナーレだけの問題ではない』（後略）」と『BuzzFeed News』の取材に答えている[35]。検証委員の曽我部も、委員就任前にWeb上で「この息苦しさを劇的な形で可視化する形となり、期せずして、目的の一端を達した」[36]と言及する（第2章1前述）。

　筆者も、表現の自由はそもそも後退している状況があり、そうした状況を可視化したのが今回の事態だと考える。

5 政治と芸術が衝突したとの見解

　第5の見解は、政治と芸術とは、そもそも相いれないものであり、それが

衝突したとする。これは、文化政策的アプローチからの一般的理解であり、あいちトリエンナーレに即して見てみたい。

　芸術には、挑発がつきものである。もっといえば、政治とは集団の利害調整、芸術文化は自己実現である。政治を多数決で決めるならば、自己実現、すなわち少数の表現である芸術文化とは自ずと衝突するのだ。そこで求められるのが、熟議ある民主主義である。しかしながら、政府の姿勢やSNS社会の進展などで、熟議がなされず、異論を許さない空気が蔓延する。さきに、武藤祐二（美術研究者）の報告を紹介したが、特に公的な場で、表現・芸術の自由が制約を受ける状況が強まっているのだ。

　その一方で、こうした時代背景を背負いながら、2010年代にあいちトリエンナーレをはじめとした芸術祭が各地で開催される。ちなみに、2016年〜2018年に開催された事業費1億円以上の芸術祭は13を数える。芸術祭が流行した時代といえよう[37]。とはいえ、地域の疲弊が深刻で、その文脈で過疎地型芸術祭が流行したことも一要因となり、国内では芸術の政治に対する影響がこれまで注目されてこなかった。日本のアートプロジェクトは、「政治性や鋭い社会批評性をあらわにしないのが大きな特徴」[38]とも言われてきた。

　しかしながら、そもそも芸術の核には、創造性があり、挑発がつきものだ。そうしたことに対して、あいちトリエンナーレが10年間の歴史を積み重ねるなかで、現代アートへの地ならしをしてきたことは押さえておきたい。これまでも、社会的、政治的、不快な表現を有する展示がなされ、唐突に「表現の不自由展・その後」のような政治性・社会性の強い展示がなされたわけではないのだ。

　「海外でやっているから」と、ある専門家の強力な一押しと、「神田真秋前知事が美術好きだった」ということで、あいちトリエンナーレは始まった。そうしたこともあり、政策的な位置づけが十分に議論されないまま、あいちトリエンナーレは、文化事業として実施されてきた[39]。目的としては、1）世界の文化芸術の発展に貢献、2）文化芸術の日常生活への浸透、3）地域の魅力の向上が掲げられる。創造都市政策に位置付けた横浜トリエンナーレ、水と土の芸術祭（新潟市）、札幌国際芸術祭、さいたま国際芸術祭（トリエンナー

レ）といった他の都市型芸術祭の中でも異色の存在である。

　あいちトリエンナーレ2010では、「都市の祝祭」がテーマとして掲げられる。草間彌生《命の足跡》、池田亮司《spectra [Nagoya]》などスペクタクル型の作品が目玉とされ、全体的に祝祭感がある作品が多く展開された。一方で、まちの人や観客に不快と受け取られる作品も展示されていた。長者町会場の旧問屋の2階の奥まった小部屋に設置された、アデル・アブデスメッドの《工場》と題するヴィデオ作品である。そこには、「きわめて凶暴なピットブル犬、闘鶏、白ネズミ、蠍、ヘビ、ガマガエルが狭いスペースに混在し、それぞれが相手を威嚇したり、攻撃したりしている様子が映しだされてい」[40]た。

　あいちトリエンナーレ2013では、ヤノベケンジ《サンチャイルドNo.2》、宮本佳明《福島第一原発神社》など東日本大震災・原発をテーマにした社会性の強い作品が展開された。「ReFreedom_Aichi」の賛同アーティストの幾人かは過去にあいちトリエンナーレに出展していた。

　むろん、作品の数が問題なのではない。重要なことは、時と場所の状況に応じて、社会や地域とハレーションを起こすギリギリの挑発が行われ、ハードルを少しずつ上げてきたことだ。しかも、2回目以降は芸術畑以外から芸術監督を選ぶのが慣例になろうとしていた。これらの積み重ね、実績を踏まえ、建畠晢（多摩美術大学学長）を委員長とする選考委員会が「社会情勢を踏まえた、明確なコンセプトを打ち出すことができる」[41]として選んだのが、ジャーナリストの津田大介なのだ。

　民間主体であるが、リボーンアート・フェスティバル2017でも、キュレーターの和多利浩一が「公的なところに疎まれそうなギリギリのところでやっている人たちを集め」[42]たという。国内外で芸術祭が開催されるなかで、「ReFreedom_Aichi」の中心となった作家たちも若手・中堅として力をつけてきた。こうした積み重ねの延長として、あいちトリエンナーレ2019の展示を捉えるべきだ。

　すなわち、国内政治が表現や芸術の自由への干渉を強め、かつ社会が寛容性を失おうとする一方、そうしたことも一要因となり、芸術祭の側では、政治・社会的テーマを扱う表現への挑戦がみられた。政治と芸術文化の衝突は

必至の状況だったのである。だからこそ、文化庁のあいちトリエンナーレに対する補助金の不交付決定という事態が起きたともいえる。

　第5の見解に関連するものとして、田中純の「芸術の自由がなぜ政治的闘争の場になるのか」についての議論がある。津田が朝日新聞の2020年1月30日の論壇時評[43]で紹介したものだ。田中は、デジタル化された現代社会における「下からの検閲」に着目し、その処方箋として、イギリスの詩人ジョン・キーツの「ネガティブ・ケイパビリティ（nagative capability)」に言及する。岡崎乾二郎（造形作家、武蔵野美術大学客員教授）が、《平和の少女像》を評する論稿の中で紹介したものだ。「《できない》という否定的条件、お互いの不可能性を認めたとき、その否定性から、はじめて共感能力は作動し共感が可能になる」[44]。そこに、「(前略)論争、紛争、対立のすべて、これら私たちの生に膠着する煩いだけの問題を乗り越える可能性」[45]を、キーツは見出そうとしたとする[46]。

　以上、なぜ「表現の不自由展・その後」の展示中止が、起きたのかについて、主に5つの要因に分析できることを見てきた。津田芸術監督の責任に収斂される単純なものではないことは明らかだ。なかでも、電凸による展示中止が起きた社会的背景、政治的背景は押さえておく必要がある。

〈注及び参考文献〉

1　田中純「人びとは何を恐れているのか？芸術の自由と不自由をめぐって」『世界』第929号2020年2月号, 岩波書店, 2020年, 86-94ページ.

2　住友の分類は, 2019年11月23日表象文化論学会の研究発表集会に合わせたイヴェントで, 住友から語られた内容を, 学会長の田中純が「人びとは何を恐れているのか？ 芸術の自由と不自由をめぐって」(田中, 前掲論文, 88-89ページ) に記載したものを引用した.

3　あいちトリエンナーレのあり方検討委員会, 前掲報告書, 2019年a, 11-12ページ.「」は引用.

4　あいちトリエンナーレのあり方検証委員会「会議録（2019年9月17日）／議事概要（あいちトリエンナーレのあり方検証委員会 第2回会議）」, 2019年d, https://www.pref.aichi.jp/soshiki/bunka/gizigaiyo-aititori2.html（参照2020年5月1日）.「」は直接引用.

5　太下義之「【連載第4回後編】検証：あいちトリエンナーレ―私たちはそこから何を学ぶことができるのか？」『タイムアウト東京』, 2020年, https://www.timeout.jp/tokyo/ja/art-and-culture/inspection_aichi-triennale_04b（参照2020年5月1日）.「」は引用.

6　小田原のどか, BTCompany「私たちは何を学べるのか？ 小田原のどか評『表現の不自由展・その後』／INSIGHT／MAGAZINE」『美術手帖』, 2019年, https://bijutsutecho.com/magazine/insight/20426（参照2020年5月1日）.

7　小田原のどか, 前掲Web記事.

8　遠藤水城, 津田大介, あいちトリエンナーレのあり方検討委員会「中間報告書に対する芸術監督からの意見」, 2019年a, https://www.pref.aichi.jp/soshiki/bunka/triennale-finalreport.html（参照2020年5月1日）.

9　椹木野衣, 津田大介, あいちトリエンナーレのあり方検討委員会「中間報告書に対する芸術監督からの意見」, 2019年a, https://www.pref.aichi.jp/soshiki/bunka/triennale-finalreport.html（参照2020年5月1日）.

10　住友文彦「芸術の自律性をいかに回復させるか――あいちトリエンナーレ2019から私たちが引き継ぐべき課題」『artscape』, 2019年, https://artscape.jp/report/curator/10157550_1634.html（参照2020年5月1日）.

11　あいちトリエンナーレのあり方検討委員会, 前掲報告書, 2019年a, 12ページ.

12　ここまでの太下の見解に関する記述は,「【連載第4回後編】検証：あいちトリエンナーレ―私たちはそこから何を学ぶことができるのか？」(太下, 前掲寄稿, 2020年.) による.

13　National Coalition Against Censorship; NCAC, *A Manual for Art Freedom/A Manual for Art Censorship*, 2018.

14　あいちトリエンナーレのあり方検討委員会, 前掲報告書, 2019年a, 62；84ページ.

15　津田大介, あいちトリエンナーレのあり方検討委員会「『表現の不自由展・その後』に関する調査報告書」に対する意見書, 2019年a, https://www.pref.aichi.jp/soshiki/bunka/triennale-finalreport.html（参照2020年5月1日）.

16　あいちトリエンナーレのあり方検討委員会, 前掲報告書, 2019年a, 46ページ.「」は引用.

17　津田大介, 前掲ブログ, 2019年b.

18　あいちトリエンナーレのあり方検討委員会, 前掲報告書, 2019年a, 34ページ.

19　あいちトリエンナーレのあり方検討委員会, 前掲報告書, 2019年a, 69ページ.

20　ここまでの津田の説明は, 前掲ブログ（津田, 2019年b）による.「」は引用した.

21 あいちトリエンナーレのあり方検討委員会，前掲報告書，2019年a，69ページ．

22 あいちトリエンナーレのあり方検討委員会，前掲報告書，2019年a，69ページ．

23 あいちトリエンナーレのあり方検討委員会，前掲報告書，2019年a，46ページ．

24 小柳暁子，朝日新聞出版「迷惑『電凸』は切らないとダメ！『表現の不自由展』中止に学ぶ抗議電話の対処法」『AERAdot.』（2019年9月3日），2019年，https://dot.asahi.com/aera/2019090200060.html?page=2（参照2020年5月1日）．

25 津田大介・安部敏樹「『あいトリ騒動とは何だったのか？』を考える」『Ridilover Journal』，2020年，https://journal.ridilover.jp/issues/533?journal_user=journal_user_4318&journal_token=20200504112105uLTkfBJE7OIytVwcaD（参照2020年5月1日）．

26 あいちトリエンナーレ実行委員会，前掲書，2020年b，219ページ．

27 岡本有佳・アライ＝ヒロユキ，前掲書，2019年，23ページ．［第1章 注10］

28 岡本有佳・アライ＝ヒロユキ，前掲書，2019年，35ページ．

29 あいちトリエンナーレのあり方検討委員会，前掲報告書，2019年a，47ページ．

30 あいちトリエンナーレ実行委員会，前掲書，2020年b，221ページ．

31 朝日新聞社，前掲記事（2019年8月2日），2019年．［第1章 注21］

32 NHK，前掲番組（2019年9月5日），2019年a．

33 NHK，前掲番組（2019年9月5日），2019年a．

34 武藤祐二「10年前から多発していた美術作品の撤去・中止事件」『創』10，2019年，56-63ページ．「」は引用．

35 BuzzFeed JAPAN「分断を生まないために。芸術家たちがいま問う『表現の自由』とアートの意味」（2019年9月10日），2019年，https://www.buzzfeed.com/jp/kotahatachi/refreedom-aichi（参照2020年5月1日）．

36 曽我部真裕「少女像展示中止、市長や官房長官の発言は「憲法違反」なのか？京大・曽我部教授に聞く」『弁護士ドットコムニュース』，2019年，https://www.bengo4.com/c_23/n_9967/（参照2020年5月1日）．

37 吉田，前掲書，2019年c，10ページ．

38 熊倉純子『アートプロジェクト 芸術と共創する社会』2014年，水曜社，13ページ．

39 本段落のここまでの記述は、前掲書（吉田，2015年，43-62ページ）による．［第1章 注151］

40 あいちトリエンナーレ実行委員会『あいちトリエンナーレ2010』，2011年，38-39ページ．

41 愛知県県民生活部文化芸術課トリエンナーレ推進室「あいちトリエンナーレ2019の芸術監督が決定しました」（2017年7月18日記者発表資料），2017年，https://www.pref.aichi.jp/soshiki/bunka/2017071801.html（参照2020年5月1日）．

42 CINRA.NET「『Reborn-Art Festival』とは？小林武史＆ワタリウム美術館に訊く」（2017年2月1日），2017年，https://www.cinra.net/interview/rebornartfes/vol1-kobayashiwatarium（参照2020年5月1日）．

43 津田大介「（論壇時評）芸術の本分 不確実さに耐え変革の力に ジャーナリスト・津田大介」『朝日新聞DIGITAL』（2020年1月30日），2020年．

44 岡崎乾二郎「聞こえない旋律を聴く2/5／webちくま」2019年，http://www.webchikuma.jp/articles/-/1808?page=2（参照2020年5月1日）．

45 岡崎，前掲Web．

46 本段落に関する田中純の論稿に関する記載は、「人びとは何を恐れているのか？芸術の自由と不自由をめぐって」（田中，前掲論文）を参照した．

第4章

なぜ展示再開
できたのか

2019年10月8日（火）、すべての展示を再開した。検閲（広義）（第7章2参照）を受けながら、展示を再開した例はないといわれる。第1章2で、津田大介芸術監督が掲げた4つの展示再開条件、1）脅迫犯の逮捕、2）警備強化、3）電凸への対応策、4）アーティストや市民とのディスカッションによる合意形成を紹介した[1]。「10分を過ぎると電話が切れる仕組みを導入、内容次第では途中で切ることも認め」[2]るなど、電凸への対応策が練られた。そうした対応策が実効性のあることを示せたこと、くわえて、他の芸術祭・アートプロジェクトなどで共有していくことで、有効な危機管理対策となる（第10章2参照）。また、9月に国内フォーラム、10月に国際フォーラムが開催され、十分とはいえないが、アーティストや市民との議論をへて、関係者間の合意形成を図ってきた。

　3）4）などの条件を満たしつつ、なぜ展示再開できたのか。再開に貢献したステークホルダーという観点から振り返っておきたい。

1 津田大介芸術監督

　1つには、津田大介芸術監督が挙げられよう。第1章でみたように、展示中止時から再開を心し、サカナクションの公演という最初のヤマを越えた8月中旬以降、展示再開への模索を始める。「理にかなったことを言って、自分の利益とわかるのだったら、腹八分目であってもそれを取り入れる」という知事の姿勢を知ったうえで、大村知事を説得できるだろうと踏む。そのうえで、現実的な課題として、事務局とのコミュニケーション・電凸対応、不自由展実行委員会との政治交渉の2つを挙げていた。電凸対応策の検討は、事務局・大村知事に委ねられるが、事務局とのコミュニケーション、不自由展実行委員会との交渉、出展アーティストとの連携などに積極的に当たったのは第1章で見たとおりだ。中間報告以降、不自由展実行委員会との協議から外れてからも、その直後に、不自由展実行委員会への最後通牒をやめるよう、知事らを説得するなど、交渉決裂を未然に防いだ。裏方として、節目で津田が果たした役割は少なくない。芸術監督の辞任論も見られたが、彼の存在が、多

様な関係者への求心力となって、展示再開に結び付いたといえる。

2 出展アーティスト

　2つには、あいちトリエンナーレ2019の出展アーティストである。アーティストも、展示中止時から再開を目指し、様々な利害関係者の絡む糸を粘り強くほぐし、解決の糸口を探る先頭に立った。ボイコットするもの、展示を継続しながらネゴシエーションに力点をおくものなど、アーティストそれぞれに多様な戦略を取ったことが、特徴だ。とくに、プロジェクト「ReFreedom_Aichi」は、アーティスト、市民、行政らの様々な連帯を可視化した。

　絶妙な仕掛けが、「＃YOurFreedom プロジェクト」である。ネット空間の荒れた様子を知りながら、当時の展覧会の現場を一度でも訪れたものは、相反する展覧会場の平静さに、誰しも大きなギャップを感じたはずだ。マスメディアの報道をみていても、一般県民や観覧者がどう考えているのか伝えられないもどかしさがあった。そうした展覧会の現場の空気感を可視化するプロジェクトだった。

写真4-1 ＃YOurFreedom緊急会議&ワークショップ

その初回となる「#YOurFreedom緊急会議&ワークショップ」は、9月14日（土）13時からサナトリウムで開かれた（写真4-1）。ホンマエリ［キュンチョメ］、卯城竜太［Chim↑Pom］、毒山凡太朗、村山悟郎が参加した。周知不足もあり、一般参加者は約10名と多くはなかった。それでも、それぞれに「不自由」を付箋にしたためた[3]。サナトリウムでは、「『#YOurFreedom』のようなやり方では、行政に訴えが伝わらないのではないか」との市民の意見も見られた。「署名を集めて、持参して抗議すべきだ」と。1,000枚以上の付箋が、閉じられた扉やその周囲の壁を埋め尽くし、その声そのものが、扉を開かせたかのような状況を容易には想像できなかったのだろう。

‖ **3 大村秀章知事**

　3つには、大村秀章知事である。より正確には、大村知事のアームズ・レングスを貫くぶれない態度だ。あいちトリエンナーレ2010を始めたのは、神田真秋前知事だ。2011年に知事に就任した大村が、これまでのあいちトリエンナーレを育ててきた。大村は、「金を出すが、口は出さない」というアームズ・レングスの態度を貫いてきた。神田が産みの親とすれば、大村は育ての親だ。あいちトリエンナーレ2013の東日本大震災・原発をテーマにした社会性の強い展示群は、大村だからこそ、実現できたともいえる。「『日本版ドクメンタ』の嚆矢」[4]と自ら評したあいちトリエンナーレ2013を見ていたことで、津田は、ドクメンタやミュンスター彫刻プロジェクトなど「欧州で定期的に行われている社会的・政治的なテーマを中心に扱う都市型芸術祭を日本でも開催すると心に決め」[5]たと、公式カタログで述懐している。大村知事の表現の自由に対するぶれない態度と、あいちトリエンナーレ2019の今回の展示は地続きなのだ。

4 あいちトリエンナーレのあり方検証・検討委員会

4つには、「あいちトリエンナーレのあり方検証委員会」である。専門家集団である検証委員会が会期中に再開を提言したことが、再開の正当性の根拠となって、展示再開の道筋がつけられた。そうした道筋を忌避するがために、文化庁の補助金不交付決定の判断が、展示再開の提言の翌日に出されたとみることができよう。ただ、9月の国内フォーラムでは、もっと市民を巻き込んだ議論ができたのではなかろうか。また、第1章でみたように、不自由展実行委員会との交渉では、いくつかの不手際も見られた。

5 ボランティア

5つには、約1,200名が登録したボランティアである。津田自身が助けられたと強調する。津田芸術監督は、会期前からトリエンナーレスクール、ボランティア研修、芸術監督との交流会などで、ボランティアと接点を持ってきた。そうした場で、津田は、「ボランティアが主役だ」と語ってきた[6]。ボランティア研修初回の津田の挨拶が、Web上に残されている[7]。

> 作品やアーティストが主役だと思われがちですが、僕自身は本気でボランティアのみなさんが主役だと思っています。芸術祭が終わるとほとんどの作品はなくなってしまい、アーティストもいなくなります。でも、例えばトリエンナーレなら、3年に1回やることが決まっていて、ボランティアとして参加するみなさんがまちづくりに関わっていく、このことはずっと続いていきます。それが、究極、この地域のレガシーになっていくと思っています。だからこそ、芸術祭の主役はボランティアのみなさんだと思っています。

このように話した理由を、津田は次のように振り返る[8]。

2018年の大地の芸術祭で、開幕から2週間、（北川）フラムさんのカバン
持ちをさせてもらいました。すべてのレギュラー仕事をキャンセルして、芸
術祭の運営を学ぼうと。朝午前7時から朝礼があって、どんな指示をしてい
るのか、どんなことをやっているのか。作品を見ながらフラムさんのそばに
いられたあの経験は決定的に大きかった。ディレクターとボランティアの距
離が近い芸術祭が必要だと思った。

　なんのためにアートをやっているか。アートのためにというよりも、アー
トを通じた強烈な現代社会に対するカウンターですよね。地域が国から見捨
てられてしまう。地域、集落に対して、アートの力を使って、地域と人間を
再生していく。フラムさんの地域への接し方、越後妻有で起きていることを
見ていると、この主役はアートではない。ここに住んでいる人たちが主役だ
と思いました。

　あのボランティア研修のあいさつで出てきたボランティアこそが主役だと
いう言葉は、アドリブだったんですが、そうした経験があったから自然と出
てきたんだと思います。

　それでも、「僕自身が芸術祭をやったことないし。実感していない。血肉に
なっていない。都市でできるのか、自分のなかで疑っていた」[9]という。津田
は、閉幕後半年以上が経つインタビューでは、次のように話している[10]。

　ボランティアの人たちには感謝しかありません。騒動の傷もまだ生々しか
った8月24日、ガイドボランティアの交流会に誘われて、「迷惑をかけたし、
どういう顔をして行ったらいいのだろう」と思って訪れたんですが、すごい
歓迎を受け、最後は30人ぐらいで、ヒューマンアーチを作ってくれて暖か
く僕を送り出してくれたんです。あのときほど人の人情が身に染みたことは
なかったですね。

　ボランティアや観客と交流していくなかで、自然と「あいトリ同好会」と
いうライン・グループが生まれてメンバーが増えていきました。彼らが期間
中から閉幕後に監督のお疲れさま会をやろうと企画してくれて、閉幕後の

11月1日に50人ぐらいの打ち上げをやりました。

その打ち上げでボランティアの人たちが、口々に「自分たちが主役なんだ」「それを我々は実感したから、頑張れた」といってくれた。そこで初めて「ボランティが主役だ」ということが、自分の血肉になったし、確信をもって言えるようになったんです。

あるボランティアは、「これまでの芸術監督が、ボランティアと胸襟を開いて話すことはなかった。怒りとか不信感が湧かなかったのは、津田芸術監督の考え、人となりを多少知っていたからかもしれない」[11]と話す。芸術監督との信頼関係があったからこそ、ボランティアは、のっぴきならない状態に陥ったときに、自分たちが最前線に立つ覚悟を決めたのだ。

6 ラーニングチーム

6つには、ラーニングチームである。あいちトリエンナーレは、これまでもエデュケーションに力を入れ、ガイドボランティアなど、他の芸術祭には見られない先進的な取り組みをしてきた。そうした取り組みを踏まえ、あいちトリエンナーレ2019では、会田大也（山口情報芸術センター[YCAM]学芸普及課長）を迎え、ラーニングチームが編成された。「『受けとめる、深める、形にする、オーナーシップ』をキーワードに、来場者の相互的な学びの場を目指した活動を展開した」[12]。不自由展の会場がある8階の出口付近にも、スペースが設けられた。そこでは、会期中毎日、粘り強く観客の感想を聞く姿が見られた。展示再開が決まったとき、キュレーターとともに不自由展実行委員会との交渉の先頭に立ち、「表現の不自由展・その後」の再開を現場でサポートしたのも、ラーニングチームだった[13]。

7 関係スタッフ、ボランティア、アーティスト等 あいちの現場の緩やかなネットワーク[14]

　最後に、8月中旬以降のあいちトリエンナーレの現場の緩やかなネットワークが、とくに初動期に少なくない役割を果たしたことに触れておきたい。

　あいちトリエンナーレが約10年間開催されてきたことで、地元には、あいちトリエンナーレに関わったスタッフ、ボランティア、アーティストなどの緩やかなネットワークがある。展示中止の事態を受け、「あいちトリエンナーレがなくなるのでは」と、あいちトリエンナーレに関わった誰もが、危機感を抱く状況にあった。そこで、過去のあいちトリエンナーレにスタッフなどで関わった発起人が呼びかけ、2019年8月26日（月）晩に、新栄のアートスペース「パルル」に約50〜60名が集まった（写真4-2）。プロジェクト「ReFreedom_Aichi」の中心メンバーとなるあいちトリエンナーレ2019出展アーティストや、2019のキュレーターも駆けつけ、積極的な意見交換が行われた。たとえば、「#MeToo」のようなキーワードを冠したプロジェクトを展開していく構想がアーティストから語られた。これが、のちのプロジェクト「ReFreedom_Aichi」だ。議論は数時間に及んだ。その結果、あいちトリエンナーレ2019について話したり意見を共有する場として、オーディエンスが主体となる活動「オーディエンス・ミーティング」を継続していくことが決まる。どこでも誰でも立ち上げ可能な緩やかな会合とされた。さっそく、当日の議論の場は、「オーディエンス・ミーティングVOL.0」と名付けられた。

　こうした意を受け、「VOL.0」の議論の終盤、「『VOL.1』を開催する」と手を挙げたのが、山城大督（アーティスト）だ。山城は、あいちトリエンナーレ2013出展アーティスト「Nadegata Instant Party」のメンバーである。あいちトリエンナーレ2013に出展したことも1つのきっかけとなり、名古屋に移り住んだ。2013の作品《STUDIO TUBE》の作品制作にかかわったクルーと呼ばれたボランティアとは、「ムービーの輪」という活動サークルを作り、映像にまつわる活動を始め不定期に活動を継続してきた。筆者も、「ムービーの輪」のメンバーである。その「ムービーの輪」が中心となって、加藤翼ら

写真 4-2 オーディエンス・ミーティング VOL.0

写真 4-3 オーディエンス・ミーティング VOL. 1

が作った「サナトリウム」と共催して、2019年9月8日（日）、「オーディエ
ンス・ミーティングVOL.1：持ち寄りパーティー：ムービーの輪×サナトリ
ウム」を17時から開催した。いきなり議論をするのは、ハードルが高いこと
から、たこ焼きパーティーやソーメン流しなどの余興の場が最初に作られた
（写真4-3）。1時間半ほどが経ち、トークセッションの場が設けられた。20時
には、ニコニコ動画の生放送で、あいちトリエンナーレ会場を回っていた津
田芸術監督も飛び入りで参加した。約60〜70名の盛会となる（写真4-4）。そ
の後も、筆者は、『芸術祭と地域づくり——"祭り"の受容から自発・協働によ
る固有資源化へ』[15]を10月初旬に上梓したタイミングもあり、刊行記念トーク
イベントと銘打って、「オーディエンス・ミーティング」を長者町や、豊田で
計2回開催した。

　これらの現場からの応援は、アーティストらを勇気づける導火線となった。

写真4-4 オーディエンス・ミーティングVOL.1
©「ReFreedom_Aichi」

8 まとめ

　さて、ここまでで再開に貢献したステークホルダーとして、1）津田大介芸術監督、2）出展アーティスト、3）大村秀章知事、4）あいちトリエンナーレのあり方検証・検討委員会、5）ボランティア、6）ラーニングチーム、7）関係スタッフ、ボランティア、アーティスト等あいちの現場の緩やかなネットワークの7つを挙げた。これに対して、津田は、不交付決定直後の大村知事の「文化庁で変わった。内部で揉めている場合ではない」などの言動をはじめとした意思決定プロセスを踏まえ（第1章2参照）、「文化庁が補助金不交付決定をしたからこそ、現場が危機感を持って対応できた」との見方を示している[16]。もちろん、本章では言及しきれなかったが、「表現の不自由展・その後」実行委員会、キュレーター、事務局、市井の市民、専門家が、それぞれの立場で、再開に貢献したことはいうまでもない。いずれにせよ、アーティスト、芸術監督、市民、ボランティア、行政、専門家らが連帯したからこそ、展示再開を勝ち得たということだ。

〈注及び参考文献〉

1　当該文について、「津田大介氏、あいちト
　　リエンナーレ問題を語る。『組織化され
　　たテロ行為』『展示再開はハードル高い』」
　　（西山里緒，前掲Web.）の記事を参照し
　　た。［第1章 注58］

2　朝日新聞社，前掲記事（2019年10月16
　　日）．［第1章 注28］

3　本段落については、当該ワークショップ
　　に実際に参加した筆者の見聞にもとづく。

4　あいちトリエンナーレ実行委員会，前掲
　　書，2020年b，210ページ．

5　あいちトリエンナーレ実行委員会，前掲
　　書，2020年b，210ページ．

6　当該文について、2020年5月4日、30代
　　女性ボランティアへのインタビュー。

7　あいちトリエンナーレ実行委員会「『あい
　　ちトリエンナーレ2019』ボランティア全
　　体研修（第1回）レポート」，2019年，
　　https://aichitriennale.jp/event/report/
　　event-other/2696.html（参照2020年5
　　月1日）．

8　2020年5月7日津田へのインタビュー。

9　2020年5月7日津田へのインタビュー。

10　2020年5月7日津田へのインタビュー。

11　2020年5月4日、30代女性ボランティア
　　へのインタビュー。

12　あいちトリエンナーレ実行委員会，前掲
　　報告書，2020年a，37ページ．

13　「表現の不自由展・その後」の再開の現場
　　でのサポートに関する記述ついて、「『ミ
　　ュージアム・エデュケーター』があいト
　　リで果たした役割。会田大也に聞く『ラ
　　ーニング』の重要性／INTERVIEW／
　　MAGAZINE」（BTCompany，『美術手
　　帖』，2020年，https://bijutsutecho.com/
　　magazine/interview/21252〈参照2020年
　　5月1日〉．）の記事を参照した。

14　本節に関する記述は、筆者が実際に参加
　　した見聞にもとづく。

15　吉田，前掲書，2019年c．

16　2020年5月7日津田へのインタビュー。

第 **5** 章

税金を使い、
《平和の少女像》のような
政治性・社会性の強い
芸術作品を
展示・公演することが、
芸術祭・美術館・劇場等で
認められるのか

1 世論の分断と、表現・芸術の自由と 公共性の議論の必要性

　電凸などにより「表現の不自由展・その後」が中止に追い込まれ、「表現の自由」などを考える場自体が失われた。その主たる要因を、最終報告書は、キュレーション等に多くの問題点があったとする[1]。しかし、キュレーションに問題がなかったという芸術関係者の意見があること、社会的・政治的背景にも目配せが必要なことは、第3章で指摘したとおりだ。

　そうした社会的・政治的背景のなかでも、本章では、一部の政治家が電凸を煽ったその理屈に焦点をあてたい。「税金を使い、公の場で、《平和の少女像》のような政治性・社会性の強い表現・芸術作品を展示・公演することは許されない」との論である。第6章で取り上げる文化庁の不交付決定の適否の論点と並び、世論が大きく2つに割れた。

　第10章で後述するが、もちろん、個別の芸術祭・アートプロジェクトの開催ごとに、危機管理、すなわち「表現の自由を守るマネジメント」を考えていくことは必要だ。しかし、そもそも表現や芸術活動を、電凸などの暴力で中止に追い込むような危機を生じさせないことが肝要だ。それには、常日頃から、電凸を引き起こした争点、すなわち表現・芸術の自由と公共性について、冷静かつ客観的な議論をし、かりに折り合えなかったとしても、相互の立場を認める寛容性を社会に構築していくべきだろう。新型コロナウイルスの危機対応で、改めて専門家の社会的役割が見直されている。表現の自由の危機管理でも、専門家の果たすべき役割が問われている。「税金を使い、公の場で、政治性・社会性の強い表現・芸術作品を展示・公演することは認められるのか」との問いを、学術的・客観的に掘り下げていきたい。

　本書は芸術祭の危機管理を論じている。ただ、第5章の論点では、アートプロジェクトはもちろん、美術館、劇場等について、芸術祭と同様の議論があてはまることから、考察の対象を広げている。

2 税金を使い、《平和の少女像》のような政治性・社会性の強い芸術作品を展示・公演することが、芸術祭・美術館・劇場等で認められるのか

争点の整理

河村名古屋市長、吉村大阪府知事、松井大阪市長ら首長、政治家らは、「税金を使って、政治性・社会性の強い芸術作品の展示・公演を芸術祭・美術館・劇場等でやるべきではない。民間でやればよい」（第1章1：2参照）との論を揃って主張する。

当該論点の議論に当たっては、次の事例Ⅰ、事例Ⅱ、事例Ⅲの3つに分けて考えていく必要があると考える

事例Ⅰ：民間で政治性・社会性の強い芸術作品を展示・公演する

事例Ⅱ：市民が、公的施設（市民ギャラリー・劇場等）で政治性・社会性の強い芸術作品を展示・公演する

事例Ⅲ：税金を使い、芸術祭・美術館・劇場等で政治性・社会性の強い芸術作品を展示・公演する

まず、政治性・社会性の強い芸術作品の展示・公演を認めない首長・政治家のなかに、民間での展示・公演を認めない論者はいないことは、確認しておきたい（事例Ⅰ）。憲法で保障される「表現の自由」（21条）を否定することはできないからだ。

市民が公的施設（市民ギャラリー・劇場等）で政治性・社会性の強い芸術作品を展示・公演することは、認められるのか

つぎに、事例Ⅱについてはどうか。市民が公的施設（市民ギャラリー・劇場等）で政治性・社会性の強い芸術作品を展示・公演することは、認められるのか。この論点に関連するのが、第3章4で紹介したNHKの調査事例である。この5年で、平和のための戦争展、原発に関する市民運動など43件で、内容の変更を求めたり、後援を断ったり、政治的中立に行政がより配慮する動きが強まっているという[2]。

事例Ⅱは、公的な場での表現の自由はどこまで守られるべきか、私的な場（事例Ⅰ）と異なる制約を受けるのかと言い換えることができる。ただ、この争点からは、「表現の自由」の憲法議論の限界も見えてくる。というのも、そもそも「表現の自由」とは、私的な空間で国民の表現が国家から干渉されない原則をいう。原則論でいえば、公園・道路、ひいては、公的施設では、表現の自由の保障が及ばず、公的施設で作品展示・公演を認めない見解に分があることになる。

　この点、パブリック・フォーラム論が、アメリカの判例で積み重ねられてきた。「パブリック・フォーラム論とは、表現活動を行うことを目的として公共の場所にアクセスする権利が憲法上保障されるとする議論である」。1930-40年代には、公園・道路等での表現が解釈上認められるようになる。公園・道路が伝統的に表現の場として使われてきたという理屈だ（ロバーツ判事の相対多数意見）。しかし、この理屈だと、公園・道路以外に解釈を広げていくのが難しい。他方で、このロバーツ判事の意見に決定的に影響を及ぼしたとされるのが、当時のアメリカ法曹協会人権委員会の見解だ。表現の自由の保障にとって、道路や公園が不可欠だからと、実質的な判断で肯定した。1960年代に入ると、フォータス、ダグラス判事などが、公立図書館・刑務所などの事例で、こうした実質的な判断を取り入れていく。

　1970年代になると、市バスの車内広告と、市が管理する劇場のそれぞれの事例で、「政府が表現を行うための施設を設けたならば、どのような憲法上の制約が課せられるのかという問題」が提起された。前者の事例では、1974年、連邦最高裁は、車内広告の営利性を強調し、パブリック・フォーラムは見出せず、5対4で合憲とした。他方、後者の事例では、1975年、ロック・ミュージカル"ヘアー"の上演が拒否されたことに対して6対3で違憲とした。その理由として、劇場がパブリック・フォーラムだとしたのだ。それに対して、反対意見は、家族揃って楽しめる場所を提供することが設置目的だとして、上演拒否を合憲とした。

　長岡徹（関西学院大学教授・憲法学）は、1985年の論稿で、両判決以後の特徴を次のように解説する。

ある場所での表現活動が保護されるか否かにとって、パブリック・フォーラムであるか否かが決定的重要性を持つものとされるに至ったこと、および、パブリック・フォーラムであるか否かを決定する場合、伝統性の要件を備えない場所については、政府がそこを表現の場とすることを目的としていたかどうかを判断する基準として重視する見解が多数を占めるようになったことであり、それらを鍵として、公有地の類型化が行われてきている[3]。

　国内ではどのように考えたらよいのだろうか。
　この点、駒村圭吾（慶應義塾大学教授・憲法学）が、アメリカのパブリック・フォーラム論の類型化の議論について、類型化の及ぼすある種の規格化の危険性を指摘し、「個別的な問題文脈でベースラインを探ることが重要」だとする。泉佐野市民会館不許可処分事件最高裁判決（1995年）などを引き合いにだし、「日本の裁判所もそのようなアプローチをとっているのではないか」としている。ちなみに、駒村は、「ベースライン」を、憲法に設定された制度の標準形を示す基準線と説明している[4]。
　こうした駒村の見解に拠りながらも、芸術文化の特殊性をより考慮することができるのだろうか。
　この点、蟻川恒正（日本大学大学院教授・憲法学）が、政府による組織化された言論助成計画が「文化の自由市場といわれるものの少なからぬ部分を占領」しているとし、「美術館の設置等を含んだ芸術への公的支援が占める大きさを看過すべきではない」[5]とする。政治的表現を公的施設から、追い出すことは、国内での市民の自由な表現を諦めさせることになりかねない。市民が、公的施設（市民ギャラリー・劇場等）で政治性・社会性の強い芸術作品を展示・公演することが許されると考えるべきだ。

‖ 税金を使い、芸術祭・美術館・劇場等で政治性・社会性の強い ‖ 芸術作品を展示・公演することが認められるのか

　さらに、事例Ⅲについて、どう考えるべきか。税金を使い、芸術祭・美術館・劇場等で政治性・社会性の強い芸術作品を展示・公演することが、認め

られるのか。事例Ⅲについては、芸術祭・美術館・劇場等で政治性・社会性の強い芸術作品の展示・公演をした場合（Ⅲ-Ⅰ）と、これから展示・公演をする場合（Ⅲ-Ⅱ）の2つに分けて考える必要がある。

　Ⅲ-Ⅰに関して、武藤（美術研究者）は、直近10年間で美術作品が撤去、改変、中止、展示拒否されるなどの事例が多発し、公的な美術館や公的資金が投入された展覧会で起こった事例が3分の2を占めるという[6]（第3章4前述）。Ⅲ-Ⅰで展示・公演を認めない事例が頻発しているのだ。芸術祭・美術館・劇場等で政治性・社会性の強い芸術作品の展示をした場合に、行政の介入が認められるか否かは、「アームズ・レングスの原則」をいかに貫くかの問題だ。芸術祭実行委員会・芸術監督、美術館、劇場が展示・公演を決めた後、行政が内容に介入すれば、検閲（狭義）として許されるべきではないと考える。

　Ⅲ-Ⅱについて、考えてみよう。税金を使い、芸術祭・美術館・劇場等で政治性・社会性の強い芸術作品を展示・公演することが、今後許されるのかである。小泉明郎（アーティスト／あいちトリエンナーレ出展作家）は、「5年前よりも今のほうが『公立美術館でできることが限られている。民間だってそれは同じ』と語る」[7]（第3章4前述）。まさに、今後の芸術祭・アートプロジェクトのあり方が問われ、税金は何に使われるのか、芸術文化とはなにか、芸術文化の公的支援の意味が問われてくる。

　およそ文化政策は、国家・都市文化政策と、国民・市民文化政策に大きく2つに分類できる[8]。芸術文化の国家・都市文化政策的側面を重視するならば、威信、経済効果などに目が向きがちだ。必ずしも政治性・社会性の強い芸術作品にこだわる必要はない。一方で、文化権など国民・市民文化政策的側面を重視するならば、多様な価値が肝要となってくる。政治性・社会性の強い作品展示・公演は、認められるべきことになる。

　芸術文化、とくに現代アートは、GAFAに代表されるグローバル化・デジタル化が容赦なく進行していく現代社会において、生きる羅針盤を容易に見出しがたい現実に、異なる価値観を提示する役割を担うものだ。また、「表現の自由」が委縮し、多様性・寛容性が失われている現在こそ、芸術文化の多様な価値が社会に求められる。また、現代社会に異なる価値観を提示する多

様な表現は、現実の政治・社会と不可分だ。だからこそ、芸術祭や芸術文化の政治性・社会性の強い表現に、税金を使う意義があるのだ。

〈注及び参考文献〉

1　あいちトリエンナーレのあり方検討委員会，前掲報告書，2019年a，11ページ．

2　NHK，前掲番組，2019年a．

3　アメリカのパブリック・フォーラム論の動向に関する記述は，「アメリカ合衆国におけるパブリック・フォーラム論の展開」（長岡徹，『香川大学教育学部研究報告．第1部』64号，1985年，53-83ページ．）を参照した。「」等は引用。

4　駒村圭吾の見解に関する記述は、「［基調報告］国家と文化」（駒村圭吾，『ジュリスト』No.1405，2010年，153ページ．）による。「」は引用。

5　蟻川恒正「国家と文化」『岩波講座 現代の法1 現代国家と法』岩波書店，1997年，191-226ページ．

6　武藤，前掲誌．［第3章 注34］

7　BuzzFeed JAPAN，前掲Web．［第3章 注35］

8　中川幾郎『分権時代の自治体文化政策—ハコモノづくりから総合政策評価に向けて』勁草書房，2001年，12-14ページ．

第6章

文化庁の
補助金不交付決定が
認められるのか

1 文化庁の補助金不交付決定が認められるのか

　前章で、「税金を使い、政治性・社会性の強い芸術作品を展示・公演することが、芸術祭・美術館・劇場等で認められるのか」についての議論を紹介した。前章の争点と並び、世論を二分したのが、文化庁の補助金不交付決定の適否である。

文化庁の補助金不交付決定

　大村秀章知事が、検証委員会の提言を受け、2019年9月25日（水）に展示再開を表明する。翌26日（木）14時半頃、「予定していたおよそ7800万円の補助金を交付しない方針を固めた」とのNHKの報道が先行する。その直前、「萩生田光一文部科学大臣が臨時のぶら下がり会見」を行ったことを受けたものだ[1]。その際、萩生田は、「官邸の指示があったかについては『私が就任してからはありません』と述べた」[2]という。就任前には、官邸の指示があったかのようだ。のちの文化庁側の答弁では、9月24日（火）に担当者が不交付を起案し、26日（木）に審議官が決裁したことも、明らかになる[3]。25日「17時前、大村知事は、4月25日（木）付で文化庁長官名の採択通知書を受領しているとして、表現の自由を争点に、不交付の是非を問う考えを示し」[4]た。

アームズ・レングスの原則

　お金を出すだけでなく口を出した点で、アームズ・レングスの原則に反する。憲法21条で保障される表現の自由・芸術の自由が守るべき一線を超えた点で、深刻な事態である。

　ここで、改めて「アームズ・レングスの原則」の意義・趣旨を確認しておきたい。そもそも国際的な企業取引で、「もっぱら『独立企業会計原則』という意味で使用され」、課税回避を目的とした価格操作を排除するために確立さ

れた原則だった。第2次世界大戦後すぐの1945年、イギリスで、行政が、芸術文化に干渉した過去の歴史的経験の反省に立ち、アーツカウンシル、すなわち、1）政府・行政組織と一定の距離を置きながら、2）専門家らが、3）芸術文化に対する助成を軸に、主に文化政策の執行を担う機関が作られる。「アームズ・レングスの原則」は、「独立企業会計原則」の意味が転じて、アーツカウンシルで、行政が芸術文化等に過度の干渉をさけるべきとの意で使われるようになったのだ[5]。その根拠としては、第一義的には、「表現の自由」（憲法21条1項）の保障である。ただ、上記沿革からすると、行政が、芸術文化に干渉した過去の歴史的経験や、日本国憲法の解釈として定着はしていないが、「芸術の自由」からも導かれると解すべきだろう。

┃┃文化庁の補助金不交付決定理由

　では、文化庁は、いかなる根拠で不交付決定をしたのだろうか。文化庁の9月26日の報道発表資料[6]を紹介しておきたい。

　　　来場者を含め展示会場の安全や 事業の円滑な運営を脅かすような重大な事実を認識していたにもかかわらず、それらの事実を申告することなく採択の決定通知を受領した上、補助金交付申請書を提出し、その後の審査段階においても、文化庁から問合せを受けるまでそれらの事実を申告しませんでした。

　　　これにより、審査の視点において重要な点である、①実現可能な内容になっているか、②事業の継続が見込まれるか、の2点において、文化庁として適正な審査を行うことができませんでした。かかる行為は、補助事業の申請手続において、不適当な行為であったと評価しました。

　一度採択を決めた補助金を不交付にした前例がない。しかも、外部審査委員が関与して下した交付の決定だ。どういう理屈で、文化庁は、外部審査委員の関与なく、不交付決定をしたのか。それには、文化庁の補助金審査の流れを理解しておく必要がある。文化庁では、専門家が関わる審査を実施し

（③）、交付申請書が提出される（⑤）。そのうえで、文化庁が「補助事業等の目的及び内容の適正」（補助金等適正化法6条）をはじめとした審査を行い（⑥）、交付決定を行うことになっている（図6-1）[7]。今回は、⑥の審査で不交付決定がなされた。⑥の審査は、事務方が行うものだから、③の審査に関わった専門家の関与は不要だというのだ。

　かりに、そうした理屈に正当性があるとしても、一度採択を決めた補助金を不交付にした前例がない点は、法的な問題を問う余地がある。すなわち、当該事例のみに円滑な運営を脅かすような重大な事実の認識を求め、その結果、実現可能性、継続性の基準を事後的に厳しくしている点で、法の下の平等（憲法14条）に違反する疑いがある。実現可能性や継続性といった審査基準を事後的に厳しくしている点が、法的には最も問題であると考えられる。米山隆一（前新潟県知事、弁護士・医学博士）が同旨だ[8]。

図6-1 文化資源活用推進事業補助金交付までの流れ

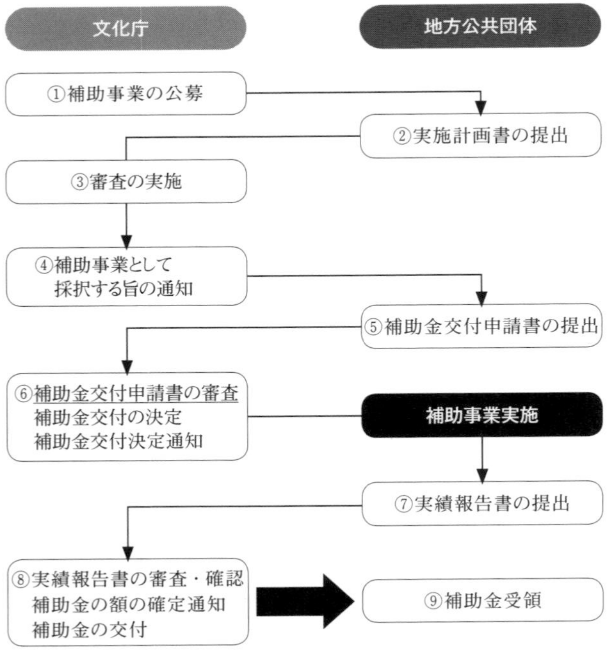

ちなみに、当該補助金は、「日本博を契機とする文化資源コンテンツ創生事業」の1つだ。あいちトリエンナーレは、この事業で採択された全26件のうちの1件である。官邸枠ともいわれ、だからこそ、官邸の介入を招いたのではないかとも言われている。

2 文化権に関わる問題

　前節で、文化庁の不交付決定が、憲法14条違反の疑いがあることを指摘した。本節では、アーティスト草案の「あいち宣言（あいちプロトコル）」のなかでも紹介された文化権について議論する余地があることを押さえておきたい。行政法上の概念で、権利侵害の性格を持つ「規制行政」の対義語として、補助金の交付や社会保障など給付の性格を持つ「給付行政」がある。補助金・助成など給付行政は、まさに社会権に関わる。この点、「文化資源活用推進事業」は自治体を対象とし、事業目的もブランド力向上等である。しかし、究極的には、国民が芸術祭を鑑賞する利益を享受する点で自由的文化権が、ひいては、とくに中部圏で現代アート等の鑑賞環境を整備する社会的文化権が問題になると考えられる。ここで、社会的文化権とは、行政が、文化施設、文化助成など、ハード、ソフト両面で文化環境を整備する権利である。

国際法上の文化権

　国際法上は、文化権の社会権的性格が認められてきた。その経緯を説明しよう。

　国連憲章（1945年）が権利の具体性を欠いたことから、1948年、世界人権宣言が採択される。「第22条（社会保障の権利）において、『経済的、社会的、文化的権利』という文言が登場し、第27条（文化的権利）で、『すべて人は、自由に社会の文化生活に参加し、芸術を鑑賞し、及び科学の進歩とその恩恵にあずかる権利を有する』と規定し」た[9]。

世界人権宣言の採択直後から、その精神を反映させ、国際人権規約の起草作業が着手される。加盟各国の利害調整に手間取りながらも、1966年に採択された。1976年に「A規約・社会権」、「B規約・自由権」として、国際人権規約が発効し、1979年に日本も批准した。その「A規約・社会権」では、そのタイトルが「社会権　経済的、社会的及び文化的権利に関する国際規約」となっている。その15条で、「文化的な生活に参加する権利」と題して、(a)「文化的な生活に参加する権利」、(b)「科学の進歩及びその利用による利益を享受する権利」、(c)「自己の科学的、文学的又は芸術的作品により生ずる精神的及び物質的利益が保護されることを享受する権利」の3つを掲げる[10]。「日本が批准している『児童に権利に関する条約』（子どもの権利条約）にも文化権の規定がある」[11]。

　この「文化的な生活に参加する権利」を詳細に記したのが、ユネスコの1960年代半ばから、1980年代にかけての各種勧告である。なかでも、1976年のユネスコの「大衆の文化的生活への参加及び寄与を促進する勧告」は、「『文化的権利』が国際社会において認識され、確立されたという意味で『画期的意義』を持つ」という[12]。「『文化的な生活への参加』は、『すべての集団もしくは個人が、みずからの人格の全面的な発達、調和のとれた生活及び社会の文化的進歩を目的として、自己を自由に表現し、伝達し行動し、かつ創造的活動に従事することを保障された具体的な機会』と定義」された[13]。

　このように社会的文化権は国際法上認められている。

国内法上の文化権

　では、日本国憲法、文化芸術基本法では、社会的文化権が認められるのか。

文化芸術基本法上の文化権[14]

　まず、文化芸術基本法上、社会的文化権が認められるのか。

　法の沿革から説明しておきたい。戦後、文化に関する基本法や基本計画が作られない状態が長らく続いた。それは、文化財保護行政が主流を占めたこ

とと無関係ではない。1960年代になると、公害をはじめとした高度経済成長の歪みが都市部で顕在化するなか、革新自治体が大都市や近郊都市に登場する。そうした自治体が、主体性を発揮する場として、文化によるまちづくりなどが注目された。しかし、1980年から1990年初期にかけ、バブルと重なり、多くの自治体が文化施設建設や大型イベントに追随し、箱物行政に転化してしまう。一方で、数は多くないが、文化条例・文化基本計画が作られる動きもみられた。そうしたなか、2001年に、ようやく国レベルで文化芸術振興基本法が成立した。当時文化に力を入れていた公明党主導で議員立法が作られたのだ。ところが、いくつかの問題点を抱え、その1つが、本節のテーマである文化権に、もう1つが、アームズ・レングスの原則にそれぞれ関わる。本項で紹介しておきたい。

　1つ目に、文化芸術基本法上、自由権的文化権は認められているが、社会権的文化権を否定していることである。

　文化権に関して、「文化芸術を創造し、享受することが人々の生まれながらの権利であることにかんがみ、国民がその居住する地域にかかわらず等しく、文化芸術を鑑賞し、これに参加し、又はこれを創造することができるような環境の整備が図らなければならない」（2条3項）と規定を置く。人権には、自由権、参政権、社会権がある。自由権は、個人の自由な意思決定と活動を保証する人権、参政権は、国民の国政に参加する権利、社会権は、国家の積極的な配慮を求める権利である。その体系は絶対でなく、自由権と社会権を併せ持つ場合がある。

　文化芸術基本法は、前段で「文化芸術を創造し、享受することが人々の生まれながらの権利」として、文化権の自由権的性格を認めている。しかしながら、後段では、「文化芸術を鑑賞し、これに参加し、又はこれを創造することができるような環境の整備が図らなければならない」とし、環境整備を努力義務規定とし、文化権の社会権的性格を否定している。しかも、「生まれながらの権利」、換言すると自然権であることが強調され、自由権的性格はもちろん、社会権的性格を有する文化権自体を新しい権利として認めない姿勢が顕著である。藤野一夫（神戸大学大学院教授・文化政策学）も「文化の権利を人々の生

まれながらの権利である『自然権』の観点から補足しているが、21世紀の人権理解としてはまったく不完全である」[15]と同様の指摘をする。

2つ目に、自主性の尊重、創造性の尊重（2条1項、2項）とし、「内容不関与の原則」が置かれなかったことである。

この点、根木昭（文化政策研究者）は、自主性の尊重（2条1項）について「内容不関与の原則が措定されているのはいうまでもない」[16]とする。しかし、当該規定は、「表現の自由」（憲法21条）が保障されていることで、注意規定としての意味しか持たない。アームズ・レングスの原則を明確にする観点から、「内容不関与の原則」を置くべきである。中川幾郎（帝塚山大学名誉教授・文化政策学）も、「『支援はすれども干渉せず』というアームズ・レングスの原則が謳われなかった」[17]と指摘している。

ちなみに、東京都文化振興条例（1983年制定）、静岡県文化基本条例（2006年制定）など、13個の文化条例が、こうした規定を明記している（2017年3月31日現在）。東京都（1983年）、太宰府市（1997年）、苫小牧市（2001年）、足立区（2005年）、小樽市（2005年）、飯塚市（2006年）、静岡県（2006年）、小金井市（2006年）、奈良市（2006年）、松坂市（2007年）、明石市（2008年）、逗子市（2009年）、芦屋市（2009年）である。たとえば、2009年度に制定された「芦屋市文化基本条例」では、6条4項で、「市は、文化に関する施策の策定及び実施に当たっては、文化の内容に介入し、又は干渉することがないよう十分に配慮しなければならない」とする[18]。

実は、あいちトリエンナーレの事態があるまで、「内容不関与の原則」はそれほど注目されてこなかった。「文化に対する政治介入が、国内ではあからさまには起きない」と思われていたこともある。本条項の意義が改めて問われている。とくに、本条項が文化条例に2005年以降多く取り入れられたのは、文化政策研究者が文化条例策定に委員として関与し、進歩的な影響を与えたことによると考えられる[19]。そうした影響が2010年代に入り途絶えたようにも見える点に、注意が必要だ。

なお、2017年に文化芸術振興基本法が、文化芸術基本法と改正される。だが、上記に指摘した点はいずれも解消されていない。

│ 日本国憲法上の文化権

　次に、日本国憲法上は、社会的文化権が認められるのだろうか。

　憲法学では、文化権の社会権的性格を認めないのが通説である。文化庁出身の文化政策研究者の根木昭も明確に否定する[20]。

　一方で、憲法学者のなかでも、小林直樹は憲法25条を根拠に肯定する。また、小林真理は、教育は文化領域の1つであるとし、憲法26条の教育権に社会権側面があることを参照しつつ、小林直樹の見解や国際法上の理解なども踏まえ、肯定する[21]。中川は13条を根拠に肯定する[22]。

　さて、どのように解すべきか。

　先に紹介した1948年に制定された世界人権宣言では、第22条「経済的、社会的、文化的権利」が設けられた。しかし、それ以前に制定されたこともあり、日本国憲法には、文化権に関する規定が見られない。一方で、日本国憲法ができて、数十年以上がたち、「一九六〇年代以降の激しい社会・経済の変動によって生じた諸問題に対して法的に対応する必要性が増大した」[23]。そこで、1）人格的生存に不可欠である、2）他の人権を侵害しないという2つの条件を満たせば、13条を根拠に、新しい人権を認める解釈が通説として確立してきた。社会権についても、社会権の総則規定である25条を根拠に新しい人権が認められると解されている。

　裁判所もプライバシー権としての肖像権を認めてきたほか、環境権、平和的生存権などが学説上議論になってきた[24]。残念ながら、文化権は、代表的な憲法の基本書で学説上の論点として紹介されることすら、稀な存在だ。たしかに、憲法25条1項に「文化的な最低限度の生活を営む権利」が認められ、文化に関する文言が置かれている。しかし、生活保護制度に関する規定であることが明らかだ。文言上、文化の社会権的性格を記した規定と解するのは無理があるかもしれない。ただ、25条を社会権の総則規定ととらえ、新しい人権の根拠規定と解し、社会的文化権が認められるのではないか。

　もっとも肝要なのは、生存権、労働権、教育権はじめ他の社会権同様に、文化環境を整備することが、人格的生存に不可欠なのだという国民世論・社会意識の醸成だろう。そうした意識の欠如は、新型コロナウイルスをめぐる

危機管理対応でも垣間みえた。ドイツのモニカ・グリュッタース文化相が「アーティストは今、生命維持装置に必要不可欠な存在」と発言し、注目を浴びた。支援策が、「個人のアーティスト、および最大5人の従業員を持つ中小企業は3か月間、最大9,000ユーロの一括払い」「従業員10人までの場合、3か月間15,000ユーロまでの一括払い」と具体的だった[25]。一方で、安倍晋三首相から、文化に関する発信は聞かれない。宮田文化庁長官は、「文化芸術に関わる全ての皆様へ」[26]というメッセージを出したが、具体性がなく、SNS上でポエムだと批判された。

　この点、大村知事が、2020年5月1日（金）、活動の場が減少したアーティスト等の3つの活動支援策を第1弾として発表した。県の財源措置、民間の寄付を含む文化振興基金を活用しながら、他自治体では例のない規模で総額6億円となる。具体的には、1）愛知県文化芸術活動応援金の創設、2）文化芸術活動緊急支援事業の実施、3）文化活動事業補助金の拡充だ。1）は、国の「持続化給付金」が支給されていることを要件に、法人20万円、個人事業者10万円を給付し、5億円を超える規模だという。2）は、アーティスト等に県内の文化施設の所蔵作品等を題材とした映像作品の制作などをアーティストに委託する。県内の自治体にも同様の支援を働きかけていくという。

　第2弾として、6月1日（月）、県美術館が、日本在住の若手アーティストの現代美術作品を重点的に購入するとして、3年間で9,000万円だった美術品購入に充てる費用を1億円増額するとした。「本年度（2020年度）内に約六千万円をつかって、二十～四十代の作家三十人ほどの絵画、彫刻、映像作品などを購入する」[27]。あいちトリエンナーレの現場を踏まえた地に足のついた発言と政策だ[28]。

　あいちトリエンナーレの事態を踏まえた表現の自由の危機に加え、新型コロナウイルスの危機という2つの危機を契機に、「芸術文化がなぜ必要なのか」「日本の芸術文化とは何なのか」について、国民的な議論をしていくことが求められている。

3 文化庁の補助金減額交付決定

2019年9月の文化庁の補助金不交付決定に対する訴訟の提訴期限が2020年3月26日（木）に迫っていた。そうしたなか、3月23日（月）午後、「文化庁は補助金を6600万円余りに減額して交付する方針を固めた」と、NHKが報道した[29]。文化庁の報道資料[30]概要は、次のとおりである。

> 3月19日に、愛知県から意見書が提出された。それには、「来場者を含め展示会場の安全や事業の円滑な運営を脅かすような事態への懸念が想定されたにもかかわらず、これを申告しなかったことは遺憾であり、今後は、これまで以上に、連絡を密にする、との見解が示された上、平成31年4月25日付けの交付申請書の申請額から展示会場の安全や事業の円滑な運営にかかる懸念に関連する経費等を減額する旨の申出がなされ」た。こうした遺憾の見解と申出を踏まえ、6,661万9千円の交付決定を行った。

23日晩に、大村知事が臨時で記者会見を行う。愛知県だけでなく文化庁も「お互い意思疎通できなかったことは遺憾」の意を表明したこと、交渉は、大村知事と、文部科学省次官との間で直接行われたことなどが話された。記者からの質問に対し、「文化庁側と折り合った」といく度も繰り返し、それ以上の詳細な説明は避けられた[31]。

唐突な減額不交付決定に対して、アーティストから、一連の経緯解明を条件としながらも、「私たちは求めていた全額再交付という形ではないものの、その大半が再交付されたことについては一定の評価をしています」[32]との声も見られた。津田は、安部敏樹とのトークで「津田大介に聞く『文化庁補助金不交付問題』の顚末」で、言葉巧みに次のように解説している[33]。

> （前略）愛知県も文化庁もお互いに「遺憾」を表明して、この結論に落着した。

遺憾の意味は、『広辞苑 第七版』によると「思い通りにいかず心残りなこと。残念。気の毒」です。つまり、遺憾は「謝罪」ではなく、ただ残念な気持ちを表しているだけであって、自らの非を認めているわけではない。

　これは文化庁も同じです。双方とも自らの非は認めないが、しかし起こってしまったことについては残念に思うので、オールオアナッシングの結論にはしないと。

　これほど「痛み分け」という言葉が似合う政治決着もないなと思いましたね。

　また、あいちトリエンナーレにまつわる事態に対して、いく度も発言してきた憲法学者の志田陽子（武蔵野美術大学教授）が、掘り下げた分析をしている[34]。

　（前略）《声を挙げたことの成果》として誇る資格が、声を挙げてきた人々にはある。そうした人々の努力を称える意味で、まずは「よかった」と言いたい。（中略）

　年度をまたぐ前に早期に交付決定を得られたことは、愛知県にとっても、（中略）大きなメリットだったに違いない。そして、文化庁にしてみれば、裁判になれば、9月の「不交付決定」の決定プロセスが必ず裁判で問われることになるので、このことに触れずに解決できたことはメリットだっただろう。その意味で、政治的には賢い解決だったと言える。

　一方で、大村知事の会見を「『芸術の自由』を守る仁王になり切れなかった者の『まあ、これで上出来ではないか』という諦観めいた感覚が漂っていたように見えてならないのである」と評している。そのうえで、「『連絡を密に』、『改善』との《掛け合い》を注意深く読んでみると、（中略）展示内容に関する事前報告を細分に行う、という意味になるのかもしれず、（中略）芸術家側の自由度は、むしろ狭まる可能性がある」とする。

　筆者も、志田の分析・洞察にほぼ同意する。

　大村知事の会見を見て、どこか煮え湯を飲まされた印象を持った。大村は、記者から「今後こうしたイベントをやるときに、電凸などの懸念がある場合

は、文化庁に伝えていかなければならないのか」と問われ、「それぞれ1件1件だ。次にまた別の案件でやる場合は、まったく別なので、そういう風にはならない。その都度その都度ケースバイケースで適切に対応する。あらかじめ想定するものではない」[35]とやや歯切れ悪く答えた。

　たしかに、大村知事在任中に、あいちトリエンナーレがあれば、そのような返答で通用するのかもしれない。愛知県以外の行政や民間が主体となる事例では、もしくは、愛知県でも大村知事が退任したら、どうだろう。こうした政治決着をすると、「連絡を密にする」との文言を額面通り受け止め、「安全上の懸念があれば報告する」という暗黙の自主規制が横行し、表現の自由の委縮につながらないだろうか。国と長期間争うことによるデメリット、自民党県議団からの圧力等を避けるため、裁判で不交付決定のプロセスを明らかにすることを諦め、政治的に決着したように思えてならない。また。補助金不交付決定が覆されることがなく、かつ専門家の審査もなく、減額交付決定されたことも、適正手続き（憲法31条）の観点から問題がある。将来に禍根を残さぬよう、政治家の干渉の有無をはじめとした不交付決定のプロセスを検証していくことが必要だ。

〈注及び参考文献〉

1　ここまでの補助金不交付に関する記述は、前掲書（あいちトリエンナーレ実行委員会, 2020年b, 250ページ.）；「芸術祭への補助金不交付決定『手続き不適切』文化庁」（2019年9月26日）（NHK, 2019年b, https://www.nhk.or.jp/politics/articles/statement/ 23349.html〈参照2019年5月1日〉.）を参照した。「」は引用。

2　朝日新聞社「萩生田氏『展示、申請通りでない』補助金不交付を表明」『朝日新聞DIGITAL』（2020年9月26日）, 2020年.

3　「補助金不交付『見直し不必要』文化庁長官が答弁 トリエンナーレ」（朝日新聞社『朝日新聞DIGITAL』〈2019年10月16日〉.）の記事を参照した。

4　あいちトリエンナーレ実行委員会, 前掲書, 2020年b, 250ページ.

5　当該段落のここまでの記述は、「アーツカウンシルにおける『アームズ・レングスの原則』に関する考察」（太下義之,『文化政策研究』Vol8, 2015年, 7-22ページ.）；『アーツカウンシル――アームズ・レングスの現実を超えて』（太下義之, 水曜社, 2017年, 45-66ページ.）を参照した。「」は、引用。

6　文化庁「あいちトリエンナーレに関する補助金の取り扱いについて」（2019年9月26日報道発表）, 2019年, https://www.bunka.go.jp/koho_hodo_oshirase/hodohappyo/1421672.html（参照2020年5月1日）.

7　図6-1は、文化庁「あいちトリエンナーレに関する補助金の取り扱いについて」（前掲資料, 2019年.）の別紙参考資料から抜粋した。

8　米山隆一「あいちトリエンナーレ補助金不交付の支離滅裂 法的根拠も合理性もなし。法の支配を歪め、行政運営の根本も揺るがす過った決定」『論座』（2019年9月28日）, 2019年, https://webronza.asahi.com/politics/articles/2019

092700007.html（参照2020年5月1日参照）.

9　本段落の記述は、前掲書（中川, 2001年, 26-27ページ.）の記載を参照した。「」は、引用。[第5章 注8]

10　本段落のここまでの記述は、「国際人権規約／人権・人道・難民／人権外交／外交政策」（外務省, 2020年, https://www.mofa.go.jp/mofaj/gaiko/kiyaku/index.html〈参照2020年5月1日〉.）を参照した。

11　中川, 前掲書, 2001年, 26ページ.

12　当該文については、中川が前掲書（2001年, 26ページ.）で、『文化協働の時代』（佐藤一子, 青木書店, 11ページ）から引用する。

13　本段落の記述は、前掲書（中川, 2001年, 26-27ページ.）の記載を参照した。「」は、引用。

14　本項の記述は、「第1編第1章 各自治体の文化条例の比較考察」『文化条例政策とスポーツ条例政策』（吉田隆之, 成文堂, 2017年a, 19-20ページ.）；「各自治体の文化条例の比較考察――創造都市政策に言及する最近の動きを踏まえて」（吉田隆之,『文化政策研究』Vol6, 2013年, 121ページ.）を参照した。

15　藤野一夫「日本の芸術文化政策と法整備の課題――文化権の生成をめぐる日独比較を踏まえて」『国際文化学研究：神戸大学国際文化学部紀要』18, 65-91ページ.

16　根木昭『文化政策の法的基盤――文化芸術振興基本法と文化振興条例』水曜社, 2003年, 74-75ページ.

17　中川幾郎「世界人権宣言と文化権」『部落解放・人権研究所』, 2008年, https://blhrri.org/old/info/koza/koza_0164.htm（参照2020年5月1日）.

18　本項の行政の文化内容への不介入、又は不干渉の留意の規定に関する記載は、「第4編 文化条例研究資料」『文化条例政策とスポーツ条例政策』（吉田隆之, 成文堂,

2017年b，253-363ページ）：『都市型芸術祭の経営政策——あいちトリエンナーレを事例に』（吉田隆之，東京藝術大学博士論文，2013年，216-248ページ.）を参照した。なお、2014年度以降の文化条例の状況は、改めてWeb上で調査した結果である。

19　当該文について、前掲書（吉田，2017年a，26ページ.）；前掲論文（吉田，2013年，124ページ.）を参照した。

20　根木，前掲書，19-20ページ.

21　小林真理『文化権の確立に向けて——文化振興法の国際比較と日本の現実』勁草書房，2004年，46-48ページ.

22　中川，前掲書，2001年，32ページ.

23　芦部信喜・高橋和之補訂『憲法 第四版』.岩波書店，2007年，115-116ページ.

24　当該文について、前掲書（芦部ほか，117ページ.）による。

25　ドイツに関わる記載は、「ドイツ政府『アーティストは必要不可欠であるだけでなく、生命維持に必要なのだ』大規模支援」（CCCメディアハウス『ニューズウィーク日本版』（2020年3月3日），2020年，https://www.newsweekjapan.jp/stories/world/2020/03/post-92928.php（参照2020年5月1日）による。「」は引用。

26　宮田亮平，文化庁「文化芸術に関わる全ての皆様へ／その他のお知らせ／広報・報道・お知らせ」（2020年3月27日），2020年c，https://www.bunka.go.jp/koho_hodo_oshirase/sonota_oshirase/20032701.html（参照2020年5月1日）.

27　中日新聞社「若手芸術家ら支援1億円 3年間で 県美術館 購入費増額へ」『中日新聞』（2020年6月2日），2020年.「」は引用。

28　aichikoho「2020年5月1日 臨時記者会見」，2020年b，https://www.youtube.com/watch?v=Sja-pwKSRbM（参照2020年5月1日）.

29　NHK，前掲記事（2020年3月23日），2020年.「」は引用。［第1章 注137］

30　文化庁「あいちトリエンナーレに対する補助金の取扱いについて」（2020年3月23日報道発表），2020年d，https://www.bunka.go.jp/koho_hodo_oshirase/hodohappyo/20032301.html（参照2020年5月1日）.「」は引用。

31　aichikoho，前掲動画（2020年3月23日），2020年a.

32　ReFreedom_Aichi「【速報】2020.03.23」『ReFreedom_Aichi』，2019年，https://www.refreedomaichi.net/（参照2020年5月1日）.

33　津田大介「【津田大介×安部敏樹】『あいトリ騒動とは何だったのか？』を考える」『Ridilover Journal』（2020年4月16日），2020年，https://journal.ridilover.jp/issues/533?journal_user=journal_user_4318&journal_token=20200430131927YOyQlCMvsI7EjgcFfq（参照2020年5月1日）.

34　志田陽子「『あいちトリエンナーレ2019』補助金交付で得るものと失うもの——ハッピーエンドと言えない理由」2020年，https://news.yahoo.co.jp/byline/shidayoko/20200327-00169936/（参照2020年5月1日）.「」等は引用。

35　aichikoho，前掲動画（2020年3月23日），2020年a.

第 7 章

「あいちトリエンナーレの
あり方検証・検討委員会」を
検証する

2020年3月に入り、「あいちトリエンナーレのあり方検証委員会」の最終報告書に対して、「首をかしげざるをえない」[1]、「報告書自体の疑問点や矛盾が次々と浮かび上がるが、メディアも含め議論は低調だ」[2]との記事が、『朝日新聞』と『論座』にそれぞれ掲載された。朝日新聞オピニオン編集部の桜井泉記者によるものだ。

　筆者も、最終報告書に、津田芸術監督の責任論に終始するという問題点があること、にもかかわらず議論が低調であることの2点で、桜井記者と問題意識を同じくする。展示中止にはいくつかの要因が絡んでいることは、第3章で見たとおりだ。むろん、全委員にそのような思惑があったとは思わないが、報告書を読むと、芸術監督の勝手なふるまいを未然に防ぐ、すなわち、物議を醸すような作品展示をさせないがための仕組みづくりが、結論として先にあったかのようにも思える。だからこそ、津田芸術監督の責任論に終始したと見受けられるのだ。本章では、あいちトリエンナーレを検証・検討した中間報告・最終報告書、第一次提言を検証する。

1 中間・最終報告書、第一次提言の概要

　2019年8月9日（金）、「あいちトリエンナーレのあり方検証委員会」が設置された。山梨俊夫（国立国際美術館長）を座長、上山信一（慶應義塾大学総合政策学部教授）を副座長とし、岩淵潤子（青山学院大学客員教授）、太下義之（国立美術館理事）、金井直（信州大学人文学部教授）、曽我部真裕（京都大学大学院法学研究科教授）の計6名の委員からなる[3]。山梨、金井は、学芸員を出自とし、美術の専門家だ。岩淵は美術館運営・管理研究者、太下は文化政策研究者として、それぞれ設置要綱に紹介されている。曽我部は、憲法学者だ。いずれも表現・文化・芸術に関わる専門家だ。そのなかで、異色なのが上山だ。民営化論者で、国内でニュー・パブリック・マネジメントの旗を振ってきた。愛知県の政策顧問も務める。冒頭に紹介した桜井記者は、「上山さんが記者会見の場で終始、主導しており、報告書をまとめるにあたっても議論をリードし

たとみられる」[4]と記している。

　8月16日（金）、9月17日（火）の計2回の検証委員会が開かれる。3回目の9月25日（水）に、中間報告を発表し、「条件が整い次第、すみやかに再開すべきである」と提言した。そして、10月25日（金）、11月21日（木）の計2回の検討委員会が開かれ、3回目の12月18日（水）に「『表現の不自由展・その後』に関する調査報告書（案）」（最終報告書）と「『今後のあいちトリエンナーレ』の運営体制について（第一次提言）（案）」を発表し、大村知事に提出した。2020年に入り、1月23日（木）、3月24日（火）に4回目、5回目の検討委員会が開催され、第一次提言を踏まえて、「あいちトリエンナーレ2022」の開催に向けた組織体制等の見直しや、今後のあいちトリエンナーレへの期待について話し合われている[5]。

　ここでは、最終報告書と、第一次提言の概要を紹介しておきたい[6]。

　最終報告書は次のように総括する。総数で67万人以上の来場者があり、前回を10％以上上回ったこと、1日あたりの来場者数が、2019年に開催された国内の美術展中で最大規模であったこと、チケット収入は前回の1.5倍で予想値を7,000万円上回ったことなどから、「東京や大阪と比べて交通・人口的に不利な条件下で、いわゆる『ビッグネーム』のアーティストに頼らずこの結果を出したことは特筆に値し、総じて成功した」とする。一方で、キュレーション（展示の仕方）等に多くの問題点があったとし、芸術監督に起因するリスク（判断ミス・錯誤等）を回避・軽減する仕組み（ガバナンス）があいちトリエンナーレ実行委員会及び県庁に用意されていなかったとした。

　最終報告書を受け、中間報告以降に作成された第一次提言は、あるべき姿として、次の3点を示す。

　1) 継続的に取り組む常設組織を設け、そこに外部から専門人材を配置する
　2) 企業やNPO等と連携して資金を調達したり、ダイナミックかつ自立的に動ける独立的な組織をつくる
　3) 公益性を担保するとともに、県庁等による適切なガバナンスが構築できること
　より具体的には、1) 会長に民間人の起用、2) 専門家らで組織する諮問機

関（アーツカウンシル的組織）を設置して、芸術監督の選任にあたること、3）県美術館への指定管理者制度の導入などが提言された。

2 中間・最終報告書、第一次提言を検証する

芸術監督責任論と独断専行を防ぐガバナンス？

　検証委員会を早期に立ち上げ、展示再開を提言したことで、専門家集団の見解が展示再開の後ろ盾となった点は、評価したい（第4章4参照）。

　しかし、第3章で指摘したとおり、中間・最終報告書を通じて、電凸などを理由として展示中止に至った要因分析が、津田芸術監督の責任論に終始している。具体的に紹介すると、芸術監督が、「不自由展実行委員会のかたくなな姿勢に対し、妥協を続け、結果的に展覧会を一時中止せざるを得ない事態を招いた」[7]とする。そして、わざわざ「ジャーナリストの個人的野心を芸術監督としての責務より優先させた可能性」と項目立てし、「2015年の不自由展の拡大版を『あえて今回公立美術館で開くことに意義がある』と不自由展実行委員会と当初から合意していたが、これは人々が元々公的機関に期待する役割から離れたものであり、いくら芸術祭であるといっても、県民からの理解がたちどころにはえらえると考えられない」とする[8]。

　報告書と第一次提言を貫くロジックは、次のようなものだ。津田芸術監督が個人的野心から、2015年の不自由展の拡大版を企画し、不自由展実行委員会に妥協を続け、展示中止の事態を招いた。こうした芸術監督の起因するリスク（判断ミス・錯誤等）を回避・軽減する仕組み（ガバナンス）が、あいちトリエンナーレ実行委員会及び県庁に用意されていなかった。だから、芸術監督の独断専行を防ぐガバナンス（マネジメント）が必要だとする。いわば、芸術監督の独断専行を防ぐマネジメントの仕組みを導き出すがために、津田芸術監督の判断ミス・錯誤が最初からありきの結論だともいえる。しかも、2015年の不自由展の拡大版が、公的機関に期待する役割から離れたものとするの

は、「公権力を持ったところだからこそ、表現の自由は保障されなくてはならない」[9]との大村知事の発言、もっといえば、これまであいちトリエンナーレで貫かれてきたアームズ・レングスという軸とも乖離しないだろうか。

　芸術監督の暴走を防ぐマネジメントとは、物議を醸す作品展示を許さないマネジメントともなりかねない。141ページからは、第一次提言の具体策の問題点に言及していきたい。その前に次項で、中間報告書に対する津田芸術監督の意見により、最終報告書（案）でいかに修正されたかを、次々項では、大浦信行の新作映像に関する検証委員会と津田のやりとりを、それぞれ紹介しておきたい。

中間報告書と最終報告書の主な差異について

　中間報告書と最終報告書の主な差異を4点紹介すると、表7-1のとおりである。最終報告書で、津田芸術監督の責任が厳しく糺されていることに言及したが、中間報告書で見られた「使用目的を逸脱」「強行」などの言葉が削除され、幾分はましにはなっていることが分かる。

　設置要綱に、検証委員会は、「客観的・専門的見地から総合的に検証する」と記載されている。なぜここまで糾弾ともいうべき、かつ最終報告書で修正せざるをえなかった記載が、中間報告でなされたのか。時間の制約はあったのだろうが、委員間で十分な熟議が尽くされたうえで、中間報告書が作成されていたのだろうか、疑問が残る。

大浦信行の新作映像について

　中間報告・最終報告書は、大浦の新作映像《遠近を抱えて Part II》を、津田が報告しなかったことを問題視する論だ。

　最終報告書には、映像が、「攻撃対象となり混乱を招くことになると予見できたのではないか」[10]とある。また、本来業務に関する判断、あるいは組織運営上の問題点の1つとして、「大浦氏の新作映像の内容を知り、またその出品

を5月27日（月）に正式決定したにもかかわらず、作品リストに掲載せず、またその事実とそれがもたらす混乱の可能性やリスクを事務局やキュレーターチーム、会長に伝えないまま展覧会の開催日を迎えたこと（「善管注意義務違反」との批判は免れえないであろう）」[11]との記載がある。

表7-1 中間報告書と最終報告書の主な差異

頁	中間報告書	頁	最終報告書
30	政治的テーマだから「県立や市立の施設を会場としたい」という芸術監督と不自由展実行委員会のこだわりは、公立施設が想定する使用目的から逸脱している。トリエンナーレの性格に照らせば疑義がある。	50	芸術監督と不自由展実行委員会のこだわりは、ジャーナリズムの観点からは理解しうるが、公立施設が想定する使用目的及びトリエンナーレの性格に照らし、県民からたちどころに十分な理解を得られるとは思われない。
59	不自由展実行委員会のかたくなな姿勢は早くからわかっていたにもかかわらず、自らの個人的関心を優先させ、交渉上、組織としては通常ではありえない判断と譲歩を続け、	83	不自由展実行委員会のかたくなな姿勢に対し、妥協を続け、
62	芸術監督は無理に無理を重ね、キュレーターチームや事務局からの懸念を振り切り、愛知県美術館での展示を強行した。このことはジャーナリストとしてはもしかすると長い目で見た時にひとつの業績になりえるかもしれない。	86	展示に至る一連のプロセスは、税金でまかなわれる県の施設を使用する公的立場の芸術監督に求められる分別に対する疑問を抱かせる行為であり、たちどころに県民の理解を得ることは難しい。
92	芸術監督はジャーナリストであり、アートの専門家ではなかった。キュレーターは部下でしかなく、アート面で同等の立場で助言し、あるいは牽制する仕組みがなかった。	17	芸術監督はジャーナリストであり、アートの専門家ではなかったため、キュレーターとはアート面では同等の立場にあって相互に助言し、あるいは牽制する仕組みを目指した。しかし、十分に機能しなかった。

　一方、津田は、中間報告・最終報告書に対して、大浦の映像がSNS上で認知される前から電凸があったとし、次のように意見している。

　　芸術監督として、大浦氏の新作映像が特に混乱をもたらすものとは考えていなかった。実際、当初の攻撃は、《平和の少女像》についてなされていたのであって、その判断自体は間違っていなかった（中間報告書に対する意見）[12]。
　　大浦作品の新作映像を不自由展の中で上映することとした点は、事務局が指名したアシスタント・キュレーターに伝わっている。通常は、それをキュレー

ター、アシスタント・キュレーターないしはプロジェクトマネージャーから事務
局経由で会長へ報告がなされるべきものである（最終報告書に対する意見書）[13]。

　これに対して、最終報告書は、「展示を任されたアシスタント・キュレーター
ー（愛知県美術館学芸員）は、2019年6月12日（水）に映像作品のテスト映写
用DVDを受け取り、動作確認のみを行った。しかし作品の内容について実
行委員会事務局へ報告・連絡をする義務はないと考えていた」[14]と記述する。
　論者によって、意見が分かれるだろうし、天皇観とも微妙に関係してくる
のかもしれない。ここでは、筆者が、あいちトリエンナーレ2010長者町会場
で、アシスタント・キュレーターとともに仕事をした経験にもとづく雑感を述
べておきたい。たしかに、芸術監督が逐一作品の内容を、事務局や会長に報
告するようなことはしない。疑義を持ち、報告するとすれば、担当のアシスタ
ント・キュレーター、もしくは、担当の事務職員だ。ただ、美術館の個々の企
画については、担当の事務職員が張り付いていなかったようにも思われる。
振り返ってみれば、仕事に追われるなかで、眼前をすり抜けていったのか、コ
ミュニケーション不足だったのか、とは言えるかもしれない。いずれにせよ、
《平和の少女像》の作品がなければ、大浦の新作映像が攻撃を受けることはな
かったはずだ。当時混乱を予期することを求めるのは、酷ではないだろうか。

第一次提言の具体策の問題点

　では、第一次提言の具体策の問題点を指摘しておきたい。

検閲の定義

　第一次提言の検証の前に、議論の混乱を避けるために、検閲の定義を確認
しておきたい。
　事後抑制に比し、規制の範囲が一般的で広範であること、抑止的効果が大
きいことから、公権力が表現活動を事前に抑制することは禁止されるという
「事前抑制の禁止の理論」が導かれる。日本国憲法には、21条1項の「表現の

自由」とは別に、21条2項で「検閲は、これをしてはならない」と明文を置く。この「事前抑制の禁止の理論」が、21条1項の「表現の自由」から導かれるのか、21条2項の検閲の禁止と同義かで解釈上争いがある。

　有力説は、検閲は絶対的禁止を定めたのだから、主体は行政権に限られるとし、「事前抑制の禁止の理論」は、「表現の自由」（21条1項）を根拠とすると解する。すなわち、「事前抑制の禁止の理論」と「検閲の禁止」（21条2項）は、同義でないとし、「検閲」を、「表現行為に先立ち行政権がその内容を事前に審査し不適当と認める場合にその表現行為を禁止すること」[15] とした。この点、最高裁は、1984年12月12日の税関検査合憲判決で、「検閲」とは、「1) 行政権が主体となって、2) 思想内容等の表現物を対象とし、3) その全部または一部の発表の禁止を目的として、4) 対象とされる一定の表現物につき網羅的一般的に、発表前にその内容を審査したうえ、5) 不適当と認めるものの発表を禁止することである」と解している。当該判例は、主体を行政に限定している点で、上記有力説と軌を一にする。だが、規制時期を発表前に、規制態様を「網羅的一般的に」、それぞれ限定している点が狭きに失する。いずれにせよ有力説や判例上の「検閲」を、本章では、狭義の検閲としておく。これに対して、日常用語としては、「検閲」が、主体が行政か否か、安全上の理由か否かを問わず、およそ公権力による表現・芸術活動への介入行為を広く指すものとして使われる。本章では、日常用語としての「検閲」を、広義の検閲とする。

｜ 会長の民間人起用

　上記、「検閲」の解釈を前提に、1つ目に会長の民間人起用を考えてみたい。その理由の1つは、電凸が起きた場合、安全上の観点から展示中止をすると、検閲（広義）になってしまうからだという。一見、もっとものように思える。横大道聡（慶應義塾大学大学院教授・憲法学）も、「『芸術の選定に政治的介入があるのではないか』誤解を招きかねない面がある。民間起用により、芸術祭と政治が分離していることが明確になるわけで、この点は評価したい」[16] とする。

　しかしながら、あいちトリエンナーレは、行政が主体となりながらも、回

を重ねるごとに、アームズ・レングスの原則を育み、表現の自由を守ってきた。行政が主体だからこそ、愛知県では、表現の自由が守られてきたのだ。会長が民間人になると、かえって安易な検閲（狭義）の土壌を生まないか。そもそも、安全上の観点からの展示中止は、検閲（狭義）にはあたらない。これは、「あいちトリエンナーレのあり方検証・検討委員会」でも確認されてきたことだ。にもかかわらず、今回の事態を受け、検閲（広義）を防ぐために、会長に民間人を起用することが解せない。たしかに、芸術祭のマネジメントの一案としては、ありうる。しかし、この論を進めると、すべての文化施設を公営から民間に移管することになってしまうのではないか。

　この点、神田真秋前知事は、12月26日（木）に開催されたあいちトリエンナーレ実行委員会運営会議で、「今回のような事態になれば覚悟と決意で全力で立ち向かうことができるのは政治家だ」[17]と異論を述べている。

▌専門家らで組織するアーツカウンシル的組織（諮問機関）の設置

　2つ目に、専門家らで組織するアーツカウンシル的組織（諮問機関）設置と、芸術監督の選任である。

　アーツカウンシルを設置すれば、すべて解決するかのような論には警鐘を鳴らしておきたい。アーツカウンシルとは、専門家による独立した第三者機関を作り、公的助成の独立性を担保する制度である。個別の文化事業の独立性を担保するものではない。にもかかわらず、第一次提言は、芸術監督の独断専行を防ぐために、アーツカウンシル的組織を作り、芸術監督の選任にあたるとするのだ。アーツカウシルという名称を使うことによる、権力による干渉装置の正当化になりかねない。

　たしかに、あいちトリエンナーレ2022の「アドバイザー会議」の委員候補についていえば、建畠晢はあいちトリエンナーレ2010芸術監督である。当時、筆者も職員として事務を切り盛りしたが、現場の信頼が厚かった。また、青柳正規は元文化庁長官である。青柳は、「文化庁の補助金不交付問題が起きたとしたら？」との質問に、「自分なら辞めている」とインタビューで答えた人物である[18]。こうした良識ある人選が行われると、権力による干渉は起きな

さそうだ。むしろ、芸術監督や現場の表現を委縮させない方向で、この会議が機能する期待すら抱かせる布陣である。しかしながら、6月12日（水）、「他分野のメンバーを加える可能性もある」ことが発表された（第1章3参照）。行政の人選次第というのが、アーツカウンシル的組織の一番の問題なのだ。

　第1章で紹介したように、「ひろしまトリエンナーレ」では、外部委員会を設けて作品内容を事前に確認する方針を示したことに批判が起きた。「検閲的な運営だ」と中尾浩治総合ディレクターが辞任する事態にまで発展した。当該アーツカウンシル的組織（諮問機関）は、作品そのものへの介入ではないが、監督選任への介入という点では、「ひろしまトリエンナーレ」に対する批判があてはまる。

　また、作品選定についても、「キュレーターと協議を行い、整わない場合は展示を見合わせる、事務部門との調整方法は、今後検討」[19] とされている。総じて芸術監督の管理を強化していく方向性だ。それは、「表現の自由を守るマネジメント」でなく、「物議を醸さないマネジメント」にほかならない。

　アーツカウンシル的組織について、2020年3月に開催された第5回検討委員会で、太下委員が、「ひろしまトリエンナーレ」の外部委員会設置を意識して、次のように警鐘を鳴らしている[20]。

　　アドバイザーからのアドバイスと事前検閲的行為との差異はグレーゾーンであるが、自律的な組織としての体制、モラル、プロトコルがあるような状態にしないと、検閲組織を作ってしまったと見られてしまう懸念がある。アドバイザー会議の運用に当たっては、より慎重な対応が必要。

桜井記者も、先に紹介した記事で痛快に皮肉る[21]。

　　今後は実行委員会会長が展示内容に強く介入できるように、民間人を登用し、その統制のもとにトリエンナーレを運営するというわけだ。つまり、津田さんのような個性豊かな芸術監督を登用し、勝手な振る舞いを二度とさせない。検討委員会の強い決意がうかがわれる。

｜ 県美術館への指定管理者制度の導入

　3つ目に、県美術館への指定管理者制度の導入である。県美術館の運営形態は、あいちトリエンナーレのガバナンス（運営形態）とは、関係がない話だ。県美術館にとって、あいちトリエンナーレは、3年間のうちの数か月間、貸館をしているだけのことだ。「あいちトリエンナーレのあり方検証委員会」の上山副座長は、記者会見で、「誤解を恐れずにいえば」と断りながら、あいちトリエンナーレの民営化を唱えた[22]。民営化論者の上山が、今回の事態にかこつけ、県美術館の民営化を進めたい思惑が透けて見える。

　そもそも指定管理には、学芸員の継続雇用が十分でなく、人材育成に難がある。大阪市では、博物館・美術館が、そうした弊害を取り除こうと、2019年独立行政法人を立ちあげた。筆者は、大阪市博物館機構評価委員会委員として立ち上げに関わってきた。あいちトリエンナーレの事態を契機とした各専門家の土俵への我田引水ともとられかねない。百歩譲っても、美術館の指定管理者導入は、あいちトリエンナーレと切り離して議論すべきだ。

3 物議を醸さないマネジメント？

　本章では、「あいちトリエンナーレのあり方検証・検討委員会」を検証してきた。第3章で、なぜ「表現の不自由展・その後」の中止が起きたのかについて、津田芸術監督の責任に収斂される単純なものではないこと、なかでも、電凸による展示中止が起きた社会的背景、政治的背景は押さえておく必要があることを指摘した。にもかかわらず、中間報告・最終報告書は、津田芸術監督の責任論に終始する。芸術監督の独断専行が要因なので、それを取り除くために、会長の民間人起用や、アーツカウンシル的組織を設置し、芸術監督を選任する仕組みが必要だとするのだ。そうした結論ありきで、津田芸術監督の責任論を持ち出したようにも思える。アーツカウンシル的組織が、検閲の隠れ蓑にならないよう注意が必要だ。中間報告・最終報告書、第一次提言は、総じて「表現の自由を守るマネジメント」でなく、「物議を醸さないマ

ネジメント」への提言となっているのだ。

　また、危機管理の観点からは、芸術祭で、物議を醸す作品を展示し、かりに電凸攻撃を受けることがあっても、中止に追い込まれない対策を明らかにすることが必要だ。それには、あいちトリエンナーレ2019での展示再開時の対応が参考になる（第10章2参照）。全国のアートの現場で、対応策を共有することが待ち望まれているはずだ。また、津田も中間報告書に対する意見で指摘しているが[23]、電凸攻撃を受けた際に、現場の判断で、「電話をすぐに切る」など展示再開時に近い対応が、なぜとれなかったのかについても検証が必要だ。いずれも、中間報告・最終報告書には言及がない。

〈注及び参考文献〉

1 桜井泉，朝日新聞社「(取材考記) あいち
トリエンナーレ調査報告書 表現の多様性、
守る姿勢いずこ 桜井泉」『朝日新聞
DIGITAL』(2020年3月9日)，2020年a.

2 桜井泉「『表現の不自由展・その後』の問
題はまだ解決されていない あいちトリエ
ンナーレのあり方検討委員会の報告書は
疑問点や問題だらけ」『論座』(2020年3
月23日)，2020年b，https://webronza.
asahi.com/national/articles/2020
032100001.html (参照2020年5月1日).

3 愛知県県民文化局文化部文化芸術課，前
掲Web，2019年a.

4 桜井，前掲誌 (2020年3月23日)，2020
年b.

5 愛知県県民文化局文化部文化芸術課，前
掲Web，2019年a.

6 筆者の責任で、前掲報告書 (あいちトリ
エンナーレのあり方検討委員会，2019年
a.)、前掲提言 (あいちトリエンナーレ
のあり方検討委員会，2019年b.) を要
約した。

7 あいちトリエンナーレのあり方検討委員
会，前掲報告書，2019年a，83ページ.

8 あいちトリエンナーレのあり方検討委員
会，前掲報告書，2019年a，85ページ.
「」は引用。

9 NHK，前掲番組，2019年a.

10 あいちトリエンナーレのあり方検討委員
会，前掲報告書，2019年a，62ページ.

11 あいちトリエンナーレのあり方検討委員
会，前掲報告書，2019年a，85ページ.

12 津田大介，あいちトリエンナーレ検討委
員会，中間報告書に対する前掲意見，
2019年a，26ページ，https://www.pref.
aichi.jp/uploaded/life/267118_926172_
misc.pdf (参照2020年5月1日).

13 津田大介，あいちトリエンナーレ検討委
員会，最終報告書に対する前掲意見書，
2019年a.

14 あいちトリエンナーレのあり方検討委員

会，前掲報告書，2019年a，70ページ.

15 佐藤幸治『憲法〔第三版〕』青林書院，
2013年，519ページ.

16 横大道聡「公金使用の意義議論を」(2019
年12月18日)『共同通信』，2019年.

17 朝日新聞社「トリエンナーレ、河村市長
「大失敗だ」大村知事は反論」『朝日新聞
DIGITAL』(2019年12月26日)，2019
年.

18 朝日新聞社「『自分なら辞めてる』文化庁
前長官 補助金不交付を問う」『朝日新聞』
(2019年11月30日)，2019年.「」は引
用。

19 あいちトリエンナーレのあり方検討委員
会，前掲提言，2019年b，39ページ.

20 あいちトリエンナーレのあり方検討委員
会「議事概要 (2020年3月24日) ／開催
概要 (あいちトリエンナーレのあり方検討
委員会 第4回、第5回会議)」，2020年，
https://www.pref.aichi.jp/soshiki/bunka/
gizigaiyo-aititori6.html (参照2020年5月
1日).

21 桜井，前掲記事，2020年b.

22 THE PAGE「【ノーカット】あいちトリ
エンナーレ、検証作業の最終報告 (2019
年12月18日)」,2019年b，https://www.
youtube.com/watch?v=IEa3O767Imk
(参照2020年5月1日).

23 津田大介，あいちトリエンナーレのあり
方検討委員会，中間報告書に対する前掲
意見，2019年a，5-6ページ，https://
www.pref.aichi.jp/soshiki/bunka/
triennale-finalreport.html (参照2020年
5月1日).

「あいちトリエンナーレ名古屋市あり方・負担金検証委員会」を検証する

1 ことの発端

　2019年10月15日（火）、河村市長が、芸術祭開催費用の市負担分を支払うかどうかを判断するため、市として検証委員会を設置する考えを示した[1]。あいちトリエンナーレ2019に負担金を支払いたくない河村市長が、専門家の後ろ盾を得ようとしたのだと思われる。

　名古屋市は、あいちトリエンナーレの負担金収入約9.9億円のうち、約2.1億円の負担金を2017〜2019年の3年間で支払うことになっていた。2019年度は約1.7億円である[2]。あいちトリエンナーレは、「愛知県職員があいちトリエンナーレ実行委員会事務局職員のほとんどを兼任し、事務局は愛知県が所管する愛知芸術文化センター内におかれ、職員構成、事務所の所在等実態は愛知県の事業として行われ」[3]てきた。名古屋市は、名古屋市美術館を会場としたり、職員を数人派遣したりはしていた。だが、ほとんど負担金を支出するのみだった。これは、三の丸御殿の費用を愛知県が負担し、それとバーターで、あいちトリエンナーレ2010の際、名古屋市が負担金を拠出したことからの慣例である。

　12月9日（月）、「あいちトリエンナーレ名古屋市あり方・負担金検証委員会」（以下名古屋市検証委員会）が設置された。山本庸幸（弁護士・元内閣法制局長官・前最高裁判所判事）を座長、中込秀樹（弁護士・元名古屋高等裁判所長官）を副座長とし、浅野善治（大東文化大学副学長：当時）、田中秀臣（上武大学ビジネス情報学部教授）、田中由紀子（美術批評、ライター）の計5名の委員からなる[4]。田中由紀子は美術の専門家、山本、中込、浅野は法律の専門家、田中秀臣は経済学者だ。法律専門家3人のうち2人は、中央官僚出身である。美術の専門家はたった1人だ。愛知県の検証・検討委員会が、美術・文化の専門家が6人のうち4人を占めたのとは対照的である。

　また、1回目の検証委員会の冒頭の自己紹介で、山本座長は、河村市長が高校の先輩で、「先輩の頼み」として依頼を受けたこと、浅野は、衆議院法制局で河村の議員活動を補佐した縁があることを明かした。田中秀臣は、産経デジタ

ルのiRONNAというサイトに、『「表現の不自由展」甘い蜜に付け込まれた津田大介の誤算』など2つの論説を書いたことが理由だと話している[5]。いわば委員のうち2人は河村市長の気心しれたメンバーで、田中秀臣は反津田を明確にしていた論客の1人だ。この3人が委員に決まった時点で、半ば結論は決まっていたとも思える。12月19日（木）に1回目が、2月14日（金）に2回目の検証委員会がそれぞれ開催された。そして、3月27日（金）、名古屋市の第三者検証委員会が開かれ、山本座長が出した結論を、浅野・田中秀臣の2人が追認し、賛成多数で、未払いの負担金3,380万2,000円を不交付とする報告書案をまとめた。

▌2 報告書の概要[6]

　名古屋市の検証委員会では、名古屋市があいちトリエンナーレに負担金を支払うべきか、次年度以降の名古屋市のあいちトリエンナーレの関わり方の2点が議論されてきた。

　1点目については、企画展「表現の不自由展・その後」の一時中止を巡って運営会議が開催されなかった点などを挙げ、手続き上の瑕疵があったと強調している。そのうえで、「運営手続き上の瑕疵」があったことをもって、負担金の交付決定の取り消しを認める「事情の変更により特別事情が生じたときは」にあたるとするのだ。

　この報告書に対して、中込と田中由紀子が個別意見として、反対意見を述べている。中込の主張は、三段論法で明快だ[7]。

　「事情の変更により特別事情が生じたときは」、負担金の交付決定を取り消すことができる。しかるに、交付決定の目的に照らせば、「急激な社会変革や価値基準の激変などで事業遂行の意味が失われたときとか、災害等で事業遂行が不可能となったときとかが想定される」とする。よって、「名古屋市の言い分はそれ自体十分理解可能ではあるが、負担金交付決定の撤回又は一部取り消しを正当化する理由にまで高まっているとは言えないのではないか」としている。

職業裁判官として、法解釈を叩き込んできた自負、気概すら感じる。ただ、山本座長の主張に対して反論することはなく、中込は、「基本的にはまず委員長のお考えはよくわかるのですが」[8]との発言をはじめ、終始どこか遠慮がちだった。

　2点目については、あいちトリエンナーレの「政治的中立性が確保」されるならば、名古屋市も関与すべきだとの論旨だ。

　注意すべきは、名古屋市芸術文化団体活動助成補助金交付要綱及びその運用方針にある政治的中立性を引き合いに出し、強調していることだ。これに対して、田中由紀子委員が個別意見で、「国内外の芸術祭に招聘されるアーティストのほとんどは生きており、我々と同時代を一市民として生きる彼らが現代の社会や政治の問題と無関係でいられるはずはない」[9]と反論している。

‖3 報告書を検証する

　計3回の検証委員会の議論を通して垣間見えたのは、山本座長、浅野委員が、公の場での表現に対して、ことさらに政治的中立性を強調する姿勢だ。さらに、田中秀臣委員は、「『表現の不自由展・その後』は、アートでなく政治的なプロパガンダだ」と断言したうえで、リスクが予見できたのだから、鑑賞者に負担をかけるという主張である[10]。こうした政治的立場すら問われる議論に一切意見しないのが、中込副座長だった。ある意味、法律家のプロとして客観的な法解釈に価値観を反映させないという態度を貫徹したようにも見受けられた。逆に言えば、山本座長、浅野委員、田中秀臣委員は政治的中立性を装いながら、自身の政治的立場を強く主張しているようにも見えた。

　第3章でも紹介した全米反検閲連盟（NCAC）の「A Manual For Art Censorship（芸術への検閲マニュアル）」には、権力者に向けた検閲マニュアルが作成されている。そこには、権力者があからさまな検閲をするのは陳腐だと書かれ、「タブーを作る」「展示のやり方を批判する」などいくつかの方法が紹介されている。政治的中立性を強調するのも1つの方法だ[11]。「政治的中立

性」は、権力者が市民を黙らせるために使ってきた方便だ。政治的中立性を過度に強調することは、多様な表現を認めないことにつながる。今回の決定が今後、市民の文化、表現活動の萎縮につながらないかを懸念する。名古屋市があいちトリエンナーレに関与する条件として「政治的中立性」を強調するなら、名古屋市は、あいちトリエンナーレから清く撤退するしかないだろう。

最後に、議論のプロセスで気になった発言・やりとりを2つ取り上げておきたい。

1つ目が、第1回の名古屋市検証委員会の冒頭、委員の自己紹介の際のやりとりだ[12]。持論を述べた田中秀臣委員の後が、田中由紀子委員だった。自身の自己紹介の前に、田中秀臣委員はじめ他の委員に、表現の不自由展や、あいちトリエンナーレ2019を実際に見たのかを尋ねる場面があった。田中秀臣委員、他の委員とも、「現場を一度も見ていない」と返答した。

田中由紀子委員の自己紹介が終わったあと、田中秀臣委員が場を戻すかのように、「ちょっといいですか」と次のように発言する。

田中委員の先ほどの問いかけは他の方々にも誤解が生じてしまうと思うのですが、他の委員の方々もみんな我々は動画で提供されていた資料であるとか、（中略）見ているわけなので、そういった点では作品は見ていないというわけではないわけです。

まるでトリエンナーレに実際に行っていないと何も具体的なことを語れないようなニュアンスで、（中略）我々はあいちトリエンナーレ全体を評価するために集まっているわけでなくて、そこで論点になっている作品をチェックすればいいわけですね。

これに対して、田中由紀子委員が反論した。

作品というのは、例えば映像であればパソコンの画面で見られたり、あとは写真だったりとかでも見れますけど、実際の展示空間にある、その空間の

中で見る人との関係性、例えば作品が展示される場所との関係だったり広さとの関係であったり、そういったものでも見え方というのはとても変わってきます。（中略）やはりそこの場での実際の見る体験というのは大事だと思っています。

　田中秀臣委員の反論に、唯一の文化畑の田中由紀子委員が、しなやかに返していたのが印象的だった。
　2つ目が、第3回検証委員会のほぼ最後のやりとりだ[13]。

　田中由紀子委員が、負担金を支払わないとした場合に、愛知県と訴訟になるのではないか、そうだとすると、中込副座長の見解を踏まえると、「なかなか争うのは難しい」と言及したときだ。
　中込委員は、次のように発言した。

　　争うとすれば、争うのは実行委員会なんですよね。実行委員会も争うということをする決定をするような実態がなくなっているんじゃないですかね、だから争う勇気のある余地はないんじゃないかなと思いますけど。

　これに対して、山本座長が「力強いお言葉だ」と引き取った。
　4月21日（火）、大村知事は、負担金の支払いを求め、あいちトリエンナーレ実行委員会が原告となり、名古屋市を提訴する手続きに入ったことを明らかにした。委員に訴訟への賛否を問う書面表決を行う。その結果を受け、5月1日（金）には、市が20日（水）までに支払わない場合は提訴する方針を固めた。20日、市は支払わないことを決定し、大村知事は21日（木）に提訴した（第1章3前述）[14]。山本座長と賛意を示した2委員は、訴訟に負けたら、専門家としての責任を取る覚悟で出した結論だったのだろうか。

〈注及び参考文献〉

1　朝日新聞社，前掲記事（2019年10月15日），2019年．［第1章 注125］

2　あいちトリエンナーレ実行委員会，前掲報告書，2020年a，130ページ．

3　吉田，前掲書，2015年，44ページ．［第3章 注39］

4　名古屋市観光文化交流局文化歴史まちづくり部文化振興室「あいちトリエンナーレ名古屋市あり方・負担金検証委員会について」，2019年，http://www.city.nagoya.jp/kankobunkakoryu/page/0000123556.html（参照2020年5月1日）．

5　あいちトリエンナーレ名古屋市あり方・負担金検証委員会「第1回あいちトリエンナーレ名古屋市あり方・負担金検証委員会議事録」，2019年，1，5-6ページ，http://www.city.nagoya.jp/templates/kaigikekka_2019_3/kankobunkakoryu/0000125547.html（参照2020年5月1日）．

6　本節に関する記述は，前掲報告書（あいちトリエンナーレ名古屋市あり方・負担金検証委員会，2020年a.）；前掲意見（あいちトリエンナーレ名古屋市あり方・負担金検証委員会，2020年b.）による．

7　中込秀樹，あいちトリエンナーレ名古屋市あり方・負担金検証委員会，前掲意見，2020年b，7-8ページ．「」は引用．

8　あいちトリエンナーレ名古屋市あり方・負担金検証委員会，「第3回検証委員会議事録」，2020年c，8ページ，http://www.city.nagoya.jp/kankobunkakoryu/page/0000123556.html（参照2020年5月1日）．

9　田中由紀子，あいちトリエンナーレ名古屋市あり方・負担金検証委員会，前掲意見，2020年b，5ページ．

10　あいちトリエンナーレ名古屋市あり方・負担金検証委員会，前掲議事録，2019年，6-7ページ．

11　National Coaliation Against Censorship; NCAC，op.cit.［第3章 注13］

12　1つ目のやりとりに関する記述は，「第1回あいちトリエンナーレ名古屋市あり方・負担金検証委員会議事録」（あいちトリエンナーレ名古屋市あり方・負担金検証委員会，前掲議事録，2019年，7-9ページ．）による．「」は引用．

13　2つ目のやりとりに関する記述は，前掲議事録（あいちトリエンナーレ名古屋市あり方・負担金検証委員会，2020年c，18ページ．）による．「」は引用．

14　中日新聞社，前掲記事（2020年4月22日朝刊）；朝日新聞社，前掲記事（2020年5月2日朝刊）；中日新聞社，前掲記事（2020年5月21日朝刊）；朝日新聞社，前掲記事（2020年5月22日朝刊）．［第1章 注142，143，145，146］

第 9 章

芸術祭と
アーツカウンシル

1 アーツカウンシルの意義

　あいちトリエンナーレのあり方検討委員会の第一次提言でアーツカウンシル的組織の設置が提案されている。中間報告の段階から、太下委員が、愛知県にアーツカウンシル設置を提案していた[1]。それを受けたものだろう。しかし、第7章で言及したとおり、芸術監督を選任するアーツカウンシル的組織は、本来のアーツカウンシルとは似て非なるものだ。検閲組織になりかねない。アーツカウンシルとは、専門家による独立した第三者機関を作り、公的助成の独立性を担保する制度である。個別の文化事業の独立性を担保するものではない。だから、愛知県にアーツカウンシルを設置しても、電凸や政治家の言動を理由とした文化事業の中止という事態が防げる訳ではないことは、押さえておく必要がある。

　一方で、文化庁の補助金の不交付決定は、文化助成の政治からの独立性がまさに問題となっている。アーツカウンシル設置は、有効な解決策となる。実は、国レベルでは、「Japan Arts Council」という英語名称の日本芸術文化振興会がすでに存在する。ところが、「理事長を文部科学省の官僚出身者が務める」[2]のが実態だという。文化庁から独立したものに作り替え、助成事業をそちらにすべて移管すべきだ。

　そもそもアーツカウンシルは、第2次世界大戦後イギリスで、ケインズが設立した[3]。そうした仕組みは、海外で普及した。イギリスから遅れること半世紀後の2010年代に入り、日本でも、上記の国レベルだけでなく、各地でアーツカウンシル東京、大阪アーツカウンシルなど「地域型アーツカウンシル」の設立が相次いでいる。本章では、「地域型アーツカウンシル」の特徴とは何なのか、政治家などから芸術文化への介入があった時、アーツカウンシルは歯止めに、なるのかについて、見ていきたい。

2 地域型アーツカウンシルの組織形態
―大阪アーツカウンシルを中心に

　本節では、筆者が2018年度、2019年度の2年間委員を務めた大阪アーツカウンシルを中心に、「地域型アーツカウンシル」の組織形態について論じていきたい。

　日本の地域型アーツカウンシルには、財団型と審議会型の主に2つが見られる。主流は、文化財団にアーツカウンシルを置く財団型で、アーツカウンシル東京やアーツカウンシル新潟などである。主体となって助成事業を実施し、プログラムオフィサーを置き、市民・事業者らと並走していく。財団型は、アーツカウンシル自体が施策を展開することで、その意義が見えやすいのに対し、行政の下請け化するという弊害がありうる。一方で、審議会型は、審議会の付属機関として設置され、代表例が、大阪アーツカウンシルである。独立性に重きを置いている点に特徴がある。アーツカウンシルの受け皿となる財団が大阪になかったことが主な理由と聞く。

　審議会型には、いかなるメリット、デメリットがあるのか。大阪アーツカウンシルについて、具体的に紹介しよう。

　大阪アーツカウンシルには、①評価・審査、②調査、③企画の3つの機能がある。②調査、③企画については、シンクタンク機能が期待されている。しかし、②、③は、常勤職員がいないなかで、手弁当にならざるをえない限界がある。主な柱は、①評価・審査である。

表9-1 大阪府・大阪市の文化事業（2018年度決算）

	大阪府	大阪市
事業数	16事業	23事業
当初予算	357,838千円	344,257千円
文化創造の基盤づくり	30,659千円	251,027千円
都市のための文化	254,280千円	67,268千円
社会のための文化	72,899千円	25,602千円
評価体制	部会長、部会委員、審査担当委員で分担して評価	部会長、部会委員、審査担当委員で分担して評価

まず、評価に関して、大阪アーツカウシルが大阪府市のすべての文化事業を第三者評価としている。2018年度で見れば、39事業計約7億円である（表9-1）。これを数人の委員で評価している。網羅的すぎて、形骸化するきらいがあるのは否定できない。また、大阪市が助成事業をはじめとした「文化創造の基盤づくり」に約2.5億円をあてているのと対照的に、大阪府が「都市のための文化」で約2.5億円をあてている。これは、「大阪文化芸術フェス2018」を約1.6億円で開催していることによる。後述するが、「大阪文化芸術フェス」は、現行文化基本計画とはやや異質で、エンターテインメント的色合いが濃い。評価により個々の事業の改善を多少は図ることができる。だが、エンターテインメント的事業の意義を問い直すなど、大所高所からの根本的改善までは力が及ばないのが実情である。一方、文化事業に限らず、行政の事業全般を第三者評価とすることに対して消極的な意見も見られる[4]。文化事業だけをことさらにとりあげて、第三者評価とする意義を考えていく必要があろう。

　次に、審査については、総額約7,000万円の事業を担当する。助成の制度設計は、大阪府市が担当するが、審査は大阪アーツカウンシルが担当する。事業規模自体は、東京都を除いて、他の自治体より抜きんでている点は、評価されてよい。

　では、大阪アーツカウシルが設立されたことで、大阪の文化政策がどこまで変わったのか。

　「大阪アーツカウンシルができても、大阪の文化政策は何も変わらない」との意見を時折耳にする。審議会型の弱点ともいえよう。ただ、審議会型の場合、施策展開をすることはないので、そもそも目に見えた変化をもたらすものではないと考える。むしろ、審議会型の真骨頂は、政治家、行政が文化に介入したときに、抵抗できることではないか。いわば、政治・行政に対する防波堤の意味合いが強い。逆にいえば、それができないならば、審議会型を採用する意義は大きくない。ちなみに、大阪にアーツカウンシルを委託できる財団はないが、たとえば、大阪府立江之子島文化芸術創造センター（enoco）を運営する指定管理者に委託することはできよう。名を捨てて実を取る戦略だ。こうした戦略を取るのか否か、現行の大阪アーツカウンシルが、審議会

型として、独立性を発揮しているのかが問われている。

　2013年に設立された大阪アーツカウンシルは、5年経過後に、メンバーが一新され、筆者は新メンバーの1人だった。前統括責任者の佐藤千晴は、大阪アーツカウンシルの「親会議」である大阪府市文化振興会議に対して「審議会という形で、できることとできないことがだんだん見えてきた。果たして大阪アーツカウンシルの形はこのままでいいのか、検討してほしい」と提案した。「ありかた検討会議」という通称で作業部会ができ、世界のアーツカウンシルはどうなっているか、どんな形なら可能性があるかなどを会議を積み重ねて検討した。結論は現行の審議会方式で続けることになる[5]。現体制がいつまで続くかということはあるが、10年の節目で改めて大阪アーツカウンシルの方向性を組織形態も含め議論していく必要がある。

3 文化庁の補助金不交付決定といった事態は、大阪府市・大阪アーツカウンシルのもとでも起きるのか

　前節で大阪アーツカウンシルのあり方に言及し、政治や行政に対して防波堤になる意義を問うた。本節では、第6章で取り上げた文化庁の補助金不交付決定という事態が、大阪府市でも起きるのかについて論じる。

　結論から言えば、起きない仕組みが制度上担保されている。

　1つには、文化庁の補助金審査は、有識者の審査委員会が審査するのに対し、2で前述のとおり大阪アーツカウンシルは、独立した機関として審査に関わっている。そもそも、単なる有識者の審査委員会でなく、専門家で構成される独立機関が審査に関わることで、制度的な保障があるといえる。

　2つには、具体的な制度的仕組みとして、事後的に審査基準を変えて不交付決定をすることがそもそもありえないのだ。

　文化資源活用推進事業の補助金交付までの流れ（図6-1；第6章1前掲）と、大阪市の大阪市芸術活動振興事業助成金の助成の流れ（図9-1）[6]を比較しよう。文化庁では、専門家が関わる審査を実施し（③）、交付申請書が提出される（⑤）。そのうえで、文化庁が「補助事業等の目的及び内容の適正」（補助金等適

正化法6条）をはじめとした審査を行い（⑥）、交付決定がなされた。

　一方で、大阪市では、「助成金交付申請書の提出があった芸術活動については、大阪アーツカウンシルで審査し」「審査を行った後に結果（交付または不交付）を書面で通知」するとWebに明記されている。文化庁と異なるのは、審査が一段階にくわえ、交付申請提出後に専門家が関わる仕組みになっていることだ。自治体において補助金交付の手続きが簡略化されていることが、当該論点に関しては、結果として功を奏した形だ。

　むろん、要綱上は、「市長は、（中略）その内容をアーツカウンシル部会の審査に付し、その審査結果をもとに、交付すべきものと認めたときは」（大阪市芸術活動振興事業助成金交付要綱7条）とし、大阪市が「認め」ることになっている。しかし、審査に行政が関与する仕組みになっていないことから、少なくとも文化庁のように専門家に何ら相談なく不交付決定をするような事態はありえないといえる。

図 9-1 大阪市助成金の流れ

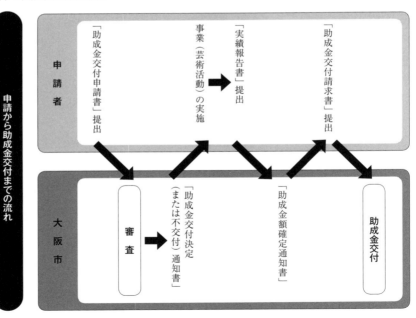

4 大阪府市の文化政策のあり方

　最後に、本書の守備範囲をやや超えるが、大阪府市の文化政策のあり方に言及しておきたい。

　大阪府では、太田房江知事の際、おおさか文化プラン（第1次大阪府文化振興計画）が策定された。橋下徹知事のときに、大阪文化振興新戦略（第2次大阪府文化振興計画）、松井一郎知事のときには、第3次大阪府文化振興計画がそれぞれ策定された。第2次と第3次の特徴は、施策の方向性として、⑥エンターテインメントによる都市の活性化が盛り込まれたことである。しかしながら、大阪アーツカウンシルが設立された第4次大阪府文化振興計画では、エンターテインメントとの文言が使われなくなった。それでも、2で指摘したように大阪文化芸術フェスのようなエンターテインメント色の強い事業が実施されている。文化基本計画にない目的が事業に掲げられ、現行文化基本計画と齟齬をきたしている。ちなみに、これまでに策定された大阪市の文化基本計画（第1次大阪市文化振興計画、第2次大阪市文化振興計画）では、エンターテインメントという文言は見られない。

　大阪府市文化振興会議で2019年9月にあらたな文化基本計画制定の議論が始まることになっていた。ところが、急遽次期「大阪の成長戦略」や「都市魅力創造戦略」の内容とも整合を図る必要があることから、次回の開催が延期されるということがあった。ようやく2020年2月に会議が開催される。次期文化振興計画の議論について、中川幾郎副会長（当時）・片山泰輔委員らの問題提起などはあったものの、2021年度以降、本格的な議論がされることとなった[7]。今後の動向を、市民・研究者らが連帯して、注意深く見守っていく必要がある。

5 大阪府市の文化政策の展望

　本章では、アーツカウンシルの意義に始まり、大阪アーツカウンシルを中心に、地域型アーツカウンシルの組織形態、「文化庁の補助金不交付決定といった事態は、大阪府市・大阪アーツカウンシルのもとでも起きるのか」、大阪府市の文化政策について、紹介してきた。2019年10月9日（水）、あいちトリエンナーレ2019が全面的に展示を再開し、愛知には奇跡が起きた希望を感じた。はたして、大阪はどうだろうか。本章が、大阪の文化政策に関する問題提議となり、読者・市民が、大阪でのReFreedomの道筋を見つける一助となることを願う。

〈注及び参考文献〉

1　太下義之，あいちトリエンナーレのあり方
　　検証委員会「別冊資料5 トリエンナーレ
　　（アート・プロジェクト）におけるアーム
　　ズ・レングスの原則について」，2019年a,
　　https://www.pref.aichi.jp/soshiki/bunka/
　　triennale-interimreport.html（参照2020
　　年5月1日）.

2　片山泰輔「政治的中立性に不安／文化助
　　成要綱に「公益性」「不適当」なら不交付
　　芸文振が改正」『朝日新聞DIGITAL』
　　（2019年10月18日），2019年.

3　後藤和子編『文化政策学 法・経済・マネ
　　ジメント』有斐閣，2001年，269ページ.

4　田中啓『自治体評価の戦略: 有効に機能
　　させるための16の原則』東洋経済新報
　　社，2014年，115-119ページ；271-278
　　ページ.

5　本段落のここまでについて、「大阪アーツ
　　カウンシルが5年間で『戦略としてやら
　　なかったこと』『やりたかったけれどでき
　　なかったこと』／レポート」（2018年4月
　　19日）（大阪アーツカウンシル，2018年,
　　https://www.osaka-artscouncil.jp/2018
　　0318loungereport/〈参照2020年5月1
　　日〉.）による。

6　図9-1は、「芸術活動（団体・個人）助成
　　事業」（大阪市経済戦略局文化部文化課,
　　2020年，https://www.city.osaka.lg.jp/
　　keizaisenryaku/page/0000180795.
　　html#6〈参照2020年5月1日〉.）から抜
　　粋した。

7　当該文について、「令和元年度 第2回 大
　　阪府市文化振興会議 議事概要／大阪府市
　　文化振興会議・大阪アーツカウンシル」
　　（大阪府民文化部 文化・スポーツ室文化
　　課，2020年，http://www.pref.osaka.lg.jp/
　　bunka/bunsinkaigi/index.html〈参照20
　　20年5月1日〉.）を参照した。

第 10 章

芸術祭の危機管理
─表現の自由を守るマネジメントとは？

1 芸術祭の危機管理

　あいちトリエンナーレ2019で、電凸などによる芸術祭の一部中止が起きた
ことは、芸術祭・アートプロジェクトの運営に関わるものにとって他人ごと
ではない。自主規制が強まることが予想される。「物議を醸さないマネジメン
ト」が暗に求められる新たなフェーズに入ったとの見方もできる。そうした
見方に迎合するかのように、「あいちトリエンナーレのあり方検討委員会」の
最終報告書・第一次提言は、総じて「物議を醸さないマネジメント」への提
言となっている。だからこそ、芸術祭の危機管理として、「表現の自由を守る
マネジメント」とはなにかを明らかにしていくことが、在野から必要だ。

　さて、危機とは、「達成目標と現実の間に生じるギャップである」[1]と定義さ
れている。そこで、芸術祭の危機管理を扱う本章では、あいちトリエンナー
レ2019にまつわる事態について、いかなる達成目標があり、その目標は現実
との間にいかにしてギャップが生じていたのかについて、見ておきたい。あ
いちトリエンナーレの目標は、2010以来、1）世界の文化芸術の発展に貢献、
2）文化芸術の日常生活への浸透、3）地域の魅力の向上の3つが掲げられて
きた。くわえて、津田は、あいちトリエンナーレ2019開催に当たり、「ドク
メンタやマニフェスタ（中略）など、欧州で定期的に行われている社会・政治
的テーマを中心に扱う都市型国際芸術祭を日本でも開催すると心に決めてい
た」という。その理由について、自身がジャーナリストであることと、あい
ちトリエンナーレ2013で五十嵐監督が、原発・震災を正面から掲げ、「『日本
版ドクメンタ』の嚆矢」ともいえる展覧会を観ていたことだとする[2]。

　こうした経緯を踏まえたのだろう。最終報告書では、「表現の不自由展・そ
の後」の趣旨・目標について、「過去に出展中止となった作品を手掛かりに
『表現の自由』や世の中の息苦しさについて考えるという着眼は今回のあいち
トリエンナーレの趣旨に沿ったもの」[3]だったとする。「表現の不自由展・その
後」を企画することで、「表現の自由」の意義を改めて議論するという達成目
標は、あいちトリエンナーレ2019の趣旨に沿うものとして、事業関係者・県

168

民には理解されるものだったと報告書も認めているような書きぶりだ。

　にもかかわらず、実際は、電凸などにより「表現の不自由展・その後」が中止に追い込まれ、「表現の自由」などを考える場自体が失われた。一部政治家や世論に目標が共有されない混乱が起きてしまった。結果的には、ステークホルダーを捉える範囲がやや狭かったとはいえよう。「危機管理のための体制づくりにあたって、まずするべきことは、利害関係者はだれなのかを考えることである」[4]という。スケジュールに追われるなか、《平和の少女像》などの展示の公表が遅くなり、1ヶ月前に予定していた記者発表も街宣車対策で諦めざるをえなかった（第2章1；第3章2参照）。事前に十分な議論の場を持てなかったことが、世論の二分や電凸を惹き起こしたとの見方もできる。また、展示再開時に示唆をえた電凸対応に長けたリスク・マネジメントの専門家の知恵も借りられなかった（2後述）。展示に反対する市民・県民や、リスク・マネジメントの専門家をステークホルダーとして想定できなかったことが、振り返れば、悔やまれる点ではないか。

　それはともかく、最終報告書は、展示中止の主要因を、キュレーション等に多くの問題点があったとする[5]。しかし、キュレーションに問題がなかったという専門家も少なからずいること、社会的・政治的背景にも目配せが必要なことは、第3章で指摘した。また、かりに想定できたとしても、上記ステークホルダーの把握は、事務局のマネジメントの問題である。これこそが「あいちトリエンナーレのあり方検証委員会」が、本来検証すべきことだ。それが明らかにされていないことは、第7章で見たとおりだ。

‖2 表現の自由と危機管理

‖表現の自由を守るマネジメントとは？

　2019年度に起きたあいちトリエンナーレにまつわる事態は、内外で表現や芸術文化の歴史に語り継がれる大事件だといわれた。果たして、表現や芸術

文化の歴史に教訓を残せたのだろうか。ここまでの本書での議論をまとめる形で、芸術祭を個別に開催するにあたっての「表現の自由を守るマネジメント」とはなにかを、明らかにしていきたい。

　1つ目に、リスク・マネジメントの専門家の示唆を得て、あいちトリエンナーレ2019再開時の電凸対応が実効性あることを示すことができた。関係者に共有していくことが必要である。これについては、本節で詳述する。2つ目に、世論が二分した経験を踏まえ（第5章、第6章参照）、物議を醸すと想定される作品が展示されるならば、芸術祭の会期前や会期中に、芸術と公共性に関する議論の場を積極的に設けることである。くわえて、常日頃から、そうした議論を積み重ねるべきだろう。3つ目に、キュレーションの自律である。つまり、キュレーション時に、アーティストの意思を最大限尊重すること、かつ自律のための環境を整えることである。自主規制が強まっていることは、本書でいく度か触れてきたが、本節では、アーティストである小泉の実体験を紹介している。4つ目に、第7章で見たとおり、愛知県の検討委員会で提言されたアーツカウンシル的組織のような検閲を招く仕組み・ガバナンスをそもそも作らないことである。

　以下では、「表現の自由を守るマネジメント」とはなにかについて、具体的に見ていきたい。

電凸対応と情報共有

　1つ目に、電凸対応と情報共有である。

電凸対応

　展示中止時と、再開時の電凸対応で何が違ったのか。きっかけは何だったのか、整理しておこう。

　きっかけについては、最終報告書に対する津田芸術監督の記者会見のコメントに手がかりがある[6]。

電凸に対して事務局機能が破壊された。電凸の初動対応に問題はなかったのか、どのような対策を取れば耐えることができたのか、イレギュラーな事態であったとはいえ、知事が電話対応を変えた9月17日以降は事務局機能が麻痺するようなこともなくなり、概ね問題なく電話抗議に対して対処できていた。このことを踏まえた電話対応についての検証を突っ込んで行うことが、今後の運営に対しても、日本中の公立文化施設に対しても有用であるにも関わらず、この点についても十分な検証ができていません。

　筆者のインタビューでも、「電凸対応は、最初の3日間が間違った。間違ったから、壊れてしまった。あれを検証委員会が検証すべきだ」[7]と津田は話す。知事が2019年9月17日（火）に電話対応を変えた経緯は、次のとおりだ。

　電凸が集中した最初の3日間に「大量の抗議電話や脅迫で事務局が麻痺している。何とか電話対応をインフラ面などで改善できないか」と知事に要望を出したのですが、「一日や二日で決裁するのは無理だ。役所はそういうことはできない」と断られました。それで結局、電話対応の改善はできませんでした。他方で知事は、電凸のどこに問題があるのかは正確に理解していて「クレームに真面目に職員が応えすぎだ。クレームを受けるために回線を絞って、すぐ切ればいい」とも言ってました。その後、大村知事は、（電凸への対応を専門家の意見も交えた書いた）『AERA』の記事を読み、ある程度調整し、17日から業務命令でルール化してだしたんです。最初に音声アナウンスで予告し、電凸など抗議の電話は10分できる。話の途中で切る。2回線ぐらいに絞って、ベテラン職員が輪番で対応した。他の部署は2分でいい。「うちの部署ではないので」と言って、切る。これは明らかに効果的でした[8]。

　9月26日（木）の朝日新聞の記事によると、大村知事の展示再開の判断を「後押しした一つが抗議電話への対応にメドがついたこと」で、「電話での攻撃（電凸（とつ））への対応策を記した週刊誌の記事に関心を示し、職員に研究を指示」したと記されている[9]。こうして電凸に対して、制限時間10分、強

制終了など知事の業務命令が徹底された。

　『AERA』には、企業のクライシス・リスクマネジメントを専門的に手掛けるエス・ピー・ネットワーク総合研究部の西尾晋部長のインタビュー記事などが掲載されている。そこには、電話はすぐ切るべきこと、電話を切る際のロジックを決めておくべきことなど電凸対応策が詳細に記されていた[10]。

　また、今回はJアートコールセンターがあったことで、当初の狙い通り、電凸が分散され、事務局の負担を和らげることができた。「初日は300件以上の電話があって、本気で怒っている高齢の方が圧倒的」[11]だったという。

　最終報告書では、津田の責任論に重きがおかれ、こうした電凸対応に関わる検証がなされていない。あいちトリエンナーレ2019の展示再開時の電凸対応策が実効性を示せたことは、押さえておく必要がある。

｜ 情報共有

　関係者への情報共有は、あいちトリエンナーレ2019キュレーターを務めた相馬千秋が企画した「芸術祭の時代における危機管理ワークショップ」の取り組みが参考になる。相馬が代表理事を務めるNPO法人芸術公社のプロジェクト「シアターコモンズ'20」のプログラムとして実施された[12]。参加者を、文化事業・施設関係者、行政などプロフェッショナルに限ったのが特徴だ。相馬は、その狙いを次のように話す[13]。

　　危機管理に関して、「どのレベルの人たちが、どうやるのか」まで、厳密にシミュレーションしている芸術祭はない。あいちトリエンナーレの展示中止、再開を経て得た様々な知恵、方法を共有するために何ができるか、あの事件が何だったのか。それをアートのプロフェッショナルが自らの現場に置き換え、シミュレーションする機会がないと思った。同時に、危機管理と一口に言っても、異なる立場から見えている危機はそれぞれに違う。それぞれの当事者の視点で見えた危機を語ってもらいたい。

2月27日（木）、3月1日（日）、3日（火）の計3回、毎回4時間のワーク

ショップを開催する。有料、かつ、プロフェッショナルに限定し、守秘義務の同意書も求めた。新型コロナウイルスの危機があり、急遽オンライン開催とした。それでも、毎回約20名で計約60名が参加した。文化事業の危機管理対策への関心・ニーズが高いことを、相馬は実感したという。

判治忠明あいちトリエンナーレ推進室長（当時）は毎回登壇し、アーティスト等（小泉明郎・藤井光・アンドリュー・マークル）と、専門家（古田大輔〔ジャーナリスト〕・金平茂紀〔ジャーナリスト〕・須田洋平〔弁護士〕）は入れ替わりだった。参加者は多様で、ジャンルで言えば、美術・アートプロジェクト・演劇等で、芸術祭・演劇祭・映画祭関係者、行政・NPO担当者などである[14]。

相馬は、愛知県職員の志の高さを評し、ワークショップの成果を次のように話す[15]。

> あいちトリエンナーレの事務局としても、自分たちの経験・教訓で業界に貢献できたことが良かったのだと思う。行政自ら（こうしたワークショップを）やるのは難しい。そういう場を作ることで、話してくださった。

相馬は、今回のワークショップの課題として、オンライン開催のため、受講生同士話す機会が取れなかったことを挙げる。

> （危機管理は、）組織のガバナンスの問題や、意思決定のフローの問題も大きい。現場がどんなにがんばっても、意思決定が遅いとだめだ。逆もしかり。それぞれの組織の体制、持っているリソースによって対応の道筋が違う。それぞれの問題意識と絡めて話せればよかった。そこの部分ができなかったのは残念だ。一方で、理念的なことを話すことができた。

芸術祭・アートプロジェクトの規模・地域ごとに、組織によって、対応策も違ってこよう。組織のガバナンスとリソース、意思決定プロセスに踏み込む相馬の指摘は重要だ。あいちトリエンナーレ2019の電凸対応策を、そのまま真似すれば足りるというわけではない。かりに、電凸対応マニュアルとい

うものがあったとしても、それを現場に手渡せば十分というものではないのだ。危機管理意識を共有し、当該組織・現場にいかに落とし込んでいくのかが問われるのだろう。また、中小規模になるほど、プロジェクトの実現に手一杯で、対応する余力を欠くのが実態だ。相馬の取り組みが、今後も在野からの提案で開催されることが必要だ。

　藤井光からは、アーティストは、ボイコットによって別の危機を作っていく存在であること、弁護士の須田からは、白黒決着をつける法的アプローチと芸術的アプローチとは違うことなどが、それぞれ語られたという。

　　愛知県知事の指示で始まった電話を10分で切る対策に対して、「ReFreedom_Aichi」のアーティストが、Jアートコールセンターのようにもう1つ別の回路を作る。混沌の中から、こうした新たなモデルが生まれてきたことは、非常にポジティブなことだと思っている。今後、そもそもああいう問題が起きてほしくないが、起きたとしても、芸術祭のダイナミズムで乗り越えていくような、そういう励みになればいい。
　　危機管理は、100%リスクを無くそうとすると、何もしないという決断にしかならない。そんなことになったら、何もやらない話になる。どこまでリスクを抱えつつやるのか、やれることの可能性を増やしていく。そのためにどういう対策をとれるのか、発想をしていかないと、「ひろしまトリエンナーレ」のように結局やらないということになる[16]。

　相馬は、危機管理が、ともすれば「物議を醸さないマネジメント」になる可能性を指摘する。そうした点からも、あいちトリエンナーレ2019が電凸対策を講じて再開したことの意義は大きい。展示再開時の電凸対策の実効性を検証し、まずは、あいちトリエンナーレのなかで、電凸に対応できる体制を引き継いでいくことが必要だ。あいちトリエンナーレ2019の展示再開時の対応で済むのであれば、職員の人的・精神的コストはそれほどかからない。そのうえで、相馬が企画したワークショップのように、他の芸術祭・アートプロジェクトが、あいちトリエンナーレの経験・教訓を引き継ぎ、個別に落と

し込んでいくことが肝要となってくる。

議論の場

2つ目に、日本でタブーとされる天皇、戦争責任を扱う作品や、物議を醸すと想定される作品を展示するならば、会期前や会期中に、議論の場を設けることである。個別の芸術祭開催にあたり、あいちトリエンナーレ2019の事態を踏まえた「表現の自由を守るマネジメント」を、本節で説明してきた。だが、そもそも電凸攻撃がなくなる社会が望ましい姿だ。芸術と公共性に関する議論を常日頃から成熟させ、寛容性を社会に構築していく努力を惜しまないことも必要だ。あいちトリエンナーレ2019を契機とし、表現の自由の委縮が可視化された状況に対し、全国の様々な現場のアーティスト、マネジメントスタッフ、市民が連帯して取り組んでいく必要がある。

キュレーションの自律

3つ目に、キュレーター、学芸員、芸術監督等が、アーティストの意思を最大限尊重し、かつ、そうしたキュレーションの自律のための環境を整えることである。

小泉は、美術館の現状を、9月10日の日本外国人特派員協会のプロジェクト「ReFreedom_Aichi」の記者会見で次のように話している[17]。

> 作品のアイデアを持っていき、キュレーターと相談する。政治性を持っている作品が、面と向かって言われるものではないが、美術館でできなくなっている現状は明らかだ。それは、キュレーターとのやりとりで感じる。いいと思っていたアイデアができなくなってしまうのは、日常である。そのときに、キュレーターを責めるわけにはいかない。キュレーターは空間でなにができるのかの責任を負わされない存在になっている。(中略)。アーティストの表現の自由とともに、キュレーターの自律を社会的に確立していかなければならない。

記者会見に同席していた卯城竜太［Chim↑Pom］は、「美術館の自治がないに等しい」と付け加えた。学芸員、キュレーター、芸術監督誰しも、キュレーションの自律を願っているはずだ。そのためにも、個別の芸術祭・アートプロジェクトごとに、電凸対応策を落とし込むことにくわえ、後述の検閲的組織を作らせないことが必要だ。美術館についていえば、館長はじめ管理職に、文化専門職を積極的に登用することが望ましい。キュレーター等が、自主規制に抗える環境作りが欠かせない。

表現の自由を守るガバナンス組織

4つ目に、検閲を招きかねないガバナンス組織をそもそも作らないことだ。検証委員会の第一次提言は、「表現の自由を守るマネジメント」の観点からは、疑問が残る。会長の民間人起用やアーツカウンシル的組織などは、いずれも芸術監督の独断専行を防ぐことを前提とした制度設計で、人選次第で検閲的組織になりかねないからだ。それでは、「物議を醸さないマネジメント」に容易に転化してしまう（第7章2参照）。

一方で、芸術祭を、行政が主体となって担っていく限界はこれまでも指摘されてきた。たとえば、あいちトリエンナーレは、愛知県職員が事務局の実働を担ってきた。だが、ゼネラリストを育成する方針のもと、2、3年で異動するローテーション人事の弊害がある。ノウハウが蓄積されないのだ。表現の自由の問題とは切り離し、海外のような財団による安定かつ恒常的なガバナンス（マネジメント）を検討する時期だ。今後の研究課題としたい。

3 芸術祭の危機管理
―新型コロナウイルス感染症対応

芸術祭と新型コロナウイルスの危機

2020年冬から春にかけて、戦後最大の感染症が世間を襲った。2020年春に

開催予定だった「いちはらアート×ミックス」と「さいたま国際芸術祭」が延期された。今後数年間、どういう状況・条件なら、芸術祭は開催できるのだろうか。開催したとしてもどのような対応が必要なのだろうか。これは、芸術祭・アートプロジェクトに限らず文化・スポーツイベントに共通する課題だ。

　ここで、「いちはらアート×ミックス」の2020年春の新型コロナウイルスへの危機管理対応を紹介しておきたい。

いちはらアート×ミックス2020の開催延期[18]

初期対応

　「いちはらアート×ミックス2020」は、2020年3月20日（金・祝）から5月17日（日）の開催が予定されていた。予算規模3.74億円で、来場者数15万人を目標とした。ところが、新型コロナウイルスの感染が世間的に議論されるようになる。来場者が県外から来る一方、会場となる市原市南部は、少子高齢化が進行している。感染率が高い年齢層に、高齢者が挙げられ、市民の安全確保を最優先し、2月28日（金）に延期を決めた。ただ、「この段階では、ゴールデンウィークに掛かる前に終息が見えれば、後ろ倒ししての開催も考えていた」という。しかし、状況が好転しない。3月後半には、春開催が無理となった。「いちはらアート×ミックス」は、菜の花と桜が見頃を迎える春開催がコンセプトとしてある。くわえて、「市民にリスクを背負わすことは絶対にできない」という判断もあった。実行委員会から北川フラム総合ディレクターに延期の申し出をして、了解を得た。3月27日（金）、2021年春に開催を延期することを発表した。

2021年度の対応と課題

　予算編成は、2020年5月での会期終了を前提とする。1年延期することで、ポスター、ちらし、ガイドブック等広告物を再度作成する必要がある。広報、作品の維持管理はじめ予算を改めて見ていかねばならない。2019年度の実績を踏まえ、経費を精査し、これから財政当局と折衝を行う。人的体制につい

ては、事務局は、参事を筆頭に10名の体制であり、実行委員会とともに、2020年度の体制を維持するという。

　今後の課題としては、「地元とのパイプを太くしていきたいが、外出できない状況なので、現時点（2020年5月中旬）では取り掛かれていない」という。また、「インバウンドに力を入れていこう」と、台湾に営業もした。だが、新型コロナウイルスの危機で、インバウンドが厳しい。そうしたなかでも、危機をプラスに変えたい。市民の認知度向上に力を入れ、市民に地元のことを知ってもらう。市民の誇り、愛着につなげ、シビックプライドの醸成に力を入れていきたいという。

‖ 芸術祭と2つの危機

　本節では、芸術祭の表現の自由の危機に対する対応を見てきた。芸術祭、とくに過疎地型の新型コロナウイルスの危機については、「いちはらアート×ミックス」で見たように、県外の都市部からの入込客が、過疎地の高齢者に感染をもたらすリスクを考慮する必要がある。また、「大地の芸術祭」などは、観客などが、他県、ひいては国境をまたいだ移動を前提にしてきた。数か年でコロナ禍が終息したとしても、インバウンドをあてにした観光戦略そのものが見直しを迫られるのではないか。地元や近郊の他府県をターゲットにしたリピーターをターゲットにしていく戦略も必要だ。芸術祭のあり方自体が問われてくる。

　2010年代は、芸術祭が各地で開催され、流行した時代といえよう。2020年代以降、すでに「水と土の芸術祭」は、開催されないことが決まった。芸術祭は、恒常的施設を持たないので、首長の交替・経済情勢等で容易に、方針が変更されやすい。過疎地型芸術祭は、都市型以上に財政基盤がぜい弱だ。そもそも10年継続を目途に考えている芸術祭も少なくない。

　2つの危機が断続的に起き、芸術祭に及ぼす影響は少なくないだろう。

4 あいちトリエンナーレと「表現の自由」

「表現の自由」を旗印に！

1でみたように、芸術祭・アートプロジェクトへの表現の自由への委縮を危惧する。だからこそ、あいちトリエンナーレには、表現の自由の危機を乗り越え、展示を再開した経験を生かして、先導的役割を期待したい。危機管理対策の観点からは、目標には、「完結でわかりやすい、意思決定のよりどころ、グローバルな視点や評価に耐えうる論理性と普遍性をもつこと、時代の要請にこたえるもの」[19] が要求される。そうした観点から、あいちトリエンナーレが共有すべき目標は、次項で言及する「表現の自由」のシンボル化ではないか。

あいちトリエンナーレはなにをめざすのか

本章の最後に、芸術祭、とりわけあいちトリエンナーレはなにをめざすのかにこたえておきたい。

「ミュンスター彫刻プロジェクト」は、市民の論争を契機として芸術祭が始まった。専門家の強力な押しも一因となり始まったあいちトリエンナーレだが、「表現の不自由展・その後」にまつわる事態を契機として、新たな歴史が生まれたのだ。こうした歴史にもとづいて、どういう芸術祭を作っていくのかを議論していく必要があるだろう。

「今回の事態が、表現の自由を後退させた」との論も承知している。しかしながら、第3章で論述した通り、大局的な時代・社会の必然性にも目を向ける必要があるだろう。そうした点からは、表現・芸術の自由が、とくに公的な場で委縮する状況を可視化した意義は少なくない。と同時に、政治と芸術文化の衝突という観点で捉えるならば、今回の事態を表現・芸術の自由を拡張する闘いに転じていく戦略が必要となってくる。

「ReFreedom_Aichi」ステートメントに、「あいちトリエンナーレを『検閲』のシンボルから『表現の自由』のシンボルに置き換えましょう」[20]とあった。あいちトリエンナーレの今後のコンセプト・ビジョンに、表現の自由のシンボル的存在となること、芸術は多様な価値への気づきをもたらし、議論を巻き起こすものであること等を取り入れてはどうか。ポピュリズム政治が跋扈するなか、とくに東京、大阪、名古屋でその傾向が顕著である。そうしたなかで、名古屋、愛知で芸術祭を契機としてポピュリズムに、「表現の自由」「寛容性」を軸に対抗していくのだ。

実は、芸術文化に力を入れることで都市間競争に勝ち抜くというのが、これまでの大村知事の発言から伺われるあいちトリエンナーレの裏テーマだ[21]。この点、井出明（観光学者／金沢大学准教授）は、あいちトリエンナーレの観光イベント化を提唱する[22]。しかし、グローバル競争が激化するなか、ヴェネツィア、シドニー、イスタンブール、リヨンなど世界の名だたる観光都市がビエンナーレ（芸術祭）を開催している。芸術祭を観光イベントとして位置付けても差別化は図れない。しかも、新型コロナウイルス感染症で外国人旅行客をターゲットにしたインバウンド戦略そのものが、少なくとも数か年は、世界全体で見直されるのではないか。価値観の大きな転換が起きる可能性が高い。

どのような世の中になっても、問われるのは、地域の人たちの誇りと、それと相まって世界からリスペクトされる都市格だろう。そこで、求められるのは、オンリーワンであり、あいちトリエンナーレでいえば、「表現の自由」のシンボル化ではないか。立ち上げからこれまでを紐解くことで生まれる唯一無二のヒストリーだからだ。

そもそも、芸術文化、とくに現代アートは、多様な価値への気づきをもたらし、時に社会の議論を巻き起こし、社会や文化を豊かにしていく。表現の自由が委縮し、国民が物言えぬ社会に突き進むからこそ、そうした役割が芸術祭に求められている。

もちろん、国内の現状は、「政治性・社会性の強い表現は、民間でやるべきだ。税金を使うべきでない」との意見も根強い。第5章で述べたように、事例分けした丁寧な議論が必要だ。専門家の果たす役割は大きい。専門家の唱

導というよりも、専門家と市民が膝を交えて、公の場での表現・芸術の自由の意義を広く議論していく必要があるのだろう。

　また、芸術祭での社会性の強い表現に対して異論があったとしても、議会の議決がある以上、財政民主主義の観点からは税金を使うことに問題はないはずだ。ただ、自治体は、芸術文化の専門家の意見も聞き、少数や弱者の意見を活かしながら熟議を重ね、この時代・社会・地域に求められる芸術祭を模索し、説明責任を果たしていく必要がある。

〈注及び参考文献〉

1　林春男「第9講 一元的な危機対応システム」林春男ほか『組織の危機管理入門』丸善，2008年a，97ページ.

2　津田のあいちトリエンナーレ2019の開催理由に関する記述は、前掲書（あいちトリエンナーレ実行委員会，2020年b，210ページ.）を参照した。「」は引用。

3　あいちトリエンナーレのあり方検討委員会，前掲報告書，2019年a，11ページ.

4　林春男「第2講 危機管理のための体制づくり」，前掲書，2008年b，11ページ.

5　あいちトリエンナーレのあり方検討委員会，前掲報告書，2019年a，11ページ.

6　津田大介「記者会見の発言要旨」（2019年12月18日），2019年，https://medium.com/@tsuda/（参照2020年5月1日）.

7　2020年5月7日津田へのインタビュー。

8　2020年5月7日津田へのインタビュー。

9　朝日新聞社「不自由展、再開に課題山積み 検証自体『検閲』と反発も」『朝日新聞DIGITAL』（2019年9月26日），2019年.「」は引用。

10　小柳暁子「迷惑『電凸』は切らないとダメ！『表現の不自由展』中止に学ぶ抗議電話の対処法」『AERAdot.』（2019年9月3日），2019年，https://dot.asahi.com/aera/2019090200060.html?page=1（参照2020年5月1日）.

11　高山明「『Jアートコールセンター』から見えた限界と可能性。高山明に聞く」『美術手帖』（2019年11月10日），2019年，https://bijutsutecho.com/magazine/interview/20779（参照2020年5月1日）.

12　当該文について、「シアターコモンズ'20」（芸術公社，2020年，https://theatercommons.tokyo/〈参照2020年5月1日〉.）を参照した。

13　2020年5月14日相馬千秋（NPO法人芸術公社代表理事）へのインタビュー。

14　ここまでの計3回のワークショップの内容、参加者に関する記述は、2020年5月14日相馬へのインタビュー。

15　2020年5月14日相馬へのインタビュー。

16　ここまでのワークショップの課題、議論の内容、意義等に関する記述は、2020年5月14日相馬へのインタビュー。

17　小泉明郎，ニコニコ動画，前掲動画，2019年.［第1章 注64］

18　本節に関する記述は、2020年5月21日、中條雅和（市原市スポーツ国際交流部芸術推進課長）への電話でのインタビューによる。

19　林，前掲書，2008年a，99ページ.

20　ReFreedom_Aichi「Statements」『ReFreedom_Aichi』，2019年，https://www.refreedomaichi.net/（参照2020年5月1日）.

21　吉田，前掲書，2019年c，36ページ.

22　井出明「『表現の不自由』は誰にとっての問題だったのか」『PRESIDENT ONLINE』，2019年，https://president.jp/articles/-/30314（参照2020年5月1日）.

おわりに

まとめ

　本書では、芸術祭の危機管理とは、「物議を醸さないマネジメント」ではなく、「表現の自由を守るマネジメント」であること、「表現の自由を守るマネジメント」とはなにかを明らかにすることを第1の目的とした。

　「表現の自由を守るマネジメント」とは、1つ目に、あいちトリエンナーレ2019再開時の電凸対応が実効性あることを示せたことから、関係者に共有し、個別の芸術祭ごとに落とし込んでいくことである。2つ目に、物議を醸すことが想定される作品を展示するならば、個別の芸術祭の会期前や会期中に、芸術と公共性に関する議論の場を積極的に設けることが必要である。くわえて、常日頃から、そうした議論を積み重ねるべきだろう。3つ目に、キュレーションの自律と、自律のための環境作りである。4つ目に、愛知県の検討委員会で提言されたアーツカウンシル的組織のような検閲を招きかねない仕組み・ガバナンスをそもそも作らないことである。

　上記結論は、各章の論点と有機的に結びつき、導かれたものである。以下では、各章を順にみていくことで、最後のまとめとしたい。

　第1章では、2019年8月の「表現の不自由展・その後」の展示を中止する事態から、2020年5月の直近に至るまでを、津田大介（あいちトリエンナーレ2019芸術監督／ジャーナリスト）へのインタビューを交え、ほぼ時系列で概観した。

　第2章では、2019年8月17日（土）に長者町地区で開催された津田芸術監督のトークイベントを紹介し、「表現の不自由展・その後」の展示中止直後の当時の議論を整理した。

　第3章では、なぜ「表現の不自由展・その後」の展示中止が起きたのかについて論じ、次の5つの見解に分類した。1）キュレーション等が不適切だっ

たとの見解、2) SNS社会を踏まえた電凸対応等事前の準備が不十分だった
とする見解、3) 一部の政治家らの発言が電凸を煽ったとの見解、4) 表現の
自由が後退していたとの見解、5) 政治と芸術が衝突したとの見解である。
なお、1) については、キュレーションに問題はなかったとする美術関係者が
いることを紹介した。そのうえで、津田芸術監督の責任に収斂される単純な
ものではなく、電凸による展示中止が起きた社会的背景、政治的背景は押さ
えておく必要があるとした。

　第4章では、なぜ展示を再開できたのかについて、再開に貢献した主な7つ
のステークホルダーを中心に論じた。1) 津田大介芸術監督、2) 出展アーティ
スト、3) 大村秀章知事、4) あいちトリエンナーレのあり方検証・検討委
員会、5) ボランティア、6) ラーニングチーム、7) 関係スタッフ、ボラン
ティア、アーティスト等あいちの現場の緩やかなネットワークである。「文化
庁が補助金不交付決定をしたからこそ、現場が危機感を持って対応できた」
との津田の見方も示した。

　第5章では、「税金を使い、《平和の少女像》のような政治性・社会性の強い
芸術作品を展示・公演することが、芸術祭・美術館・劇場等で認められるの
か」について、次の3つの事例にわけて分析して論じた。

　事例Ⅰ：民間で政治性・社会性の強い芸術作品を展示・公演する
　事例Ⅱ：市民が、公的施設 (市民ギャラリー・劇場等) で政治性・社会性の強
　　　　　い芸術作品を展示・公演する
　事例Ⅲ：税金を使い、芸術祭・美術館・劇場等で政治性・社会性の強い芸
　　　　　術作品を展示・公演する

　まず、事例Ⅰについては、民間で政治性・社会性の強い芸術作品を展示・
公演することに反対する論者はいないことを押さえた。つぎに、事例Ⅱにつ
いては、私的な空間で表現が国家から干渉されないという「表現の自由」の
原則からは、否定説に分があるとした。それに対して、肯定説の根拠として、
パブリック・フォーラム論と、現代社会で、美術館設置等を含む芸術の公的
支援が占める大きさを挙げた。

　さらに、事例Ⅲについては、作品展示・公演をした場合 (Ⅲ-1) とこれか

ら展示・公演をする場合（Ⅲ-2）に分けて論じた。Ⅲ-1で行政の介入が認められるか否かは、「アームズ・レングスの原則」をいかに貫くかの問題だ。芸術祭実行委員会・芸術監督、美術館、劇場が展示を決めた後、行政が内容に介入することは、検閲（狭義）として許すべきではないと考える。Ⅲ-2については、芸術文化の国家・都市文化政策的側面を重視するならば、威信、経済効果などに目が向きがちだ。必ずしも政治性・社会性の強い芸術作品にこだわる必要はない。それに対して、文化権など国民・市民文化政策的側面を重視するならば、多様な価値が肝要で、政治性・社会性の強い作品展示・公演は認められるべきことになるとした。

第6章では、文化庁の補助金不交付決定が認められるのかについて、社会的文化権（憲法25条）の議論を展開した。補助金等給付行政は、まさに社会権に関わる。国民が芸術祭を鑑賞する利益を享受する自由的文化権が、ひいては、とくに中部圏で現代アート等の鑑賞環境を整備する社会的文化権が問題になると考えた。

第7章では、「あいちトリエンナーレあり方検証・検討委員会」を検証した。中間報告・最終報告書、第一次提言は、なぜ「表現の不自由展・その後」の展示中止が起きたのかについて、津田芸術監督の責任論に終始する。芸術監督の独断専行が要因なので、それを取り除くために、会長の民間人起用や、アーツカウンシル的組織を設置し、芸術監督を選任する仕組みが必要だとする。そうした結論ありきで、津田芸術監督の責任論を持ち出したようにも思える。また、第一次提言に、アーツカウンシル的組織の設置が挙げられているが、検閲の正当化に使われないよう注意が必要だ。

第8章では、「あいちトリエンナーレ名古屋市あり方・負担金検証委員会」を検証した。報告書は、展示中止を巡って運営会議が開催されなかった点などを挙げ、手続き上の瑕疵があったと強調し、未払いの負担金3,380万2,000円を不交付と結論付ける。熟議を尽くした結論なのか疑問がある。報告書で強調された「政治的中立性」は権力者が市民を黙らせるために使ってきた方便。政治的中立性を過度に強調することは、多様な表現を認めないことにつながると指摘した。

第9章では、まず、第一次提言の「アーツカウンシル的組織」が、アーツカウンシルとは似て非なるものであることを改めて確認し、日本芸術文化振興会こそ、文化庁から独立したものに作り替えることが必要だとした。つぎに「地域型アーツカウンシル」の組織形態を審議会型と財団型に整理し、審議会型を採用する大阪アーツカウンシルの政治・行政に対する防波堤としての意義を確認した。さらに、文化庁の補助金不交付決定といった事態は、大阪府市・大阪アーツカウンシルのもとでは起きない仕組みが担保されていることに言及した。大阪府市の文化政策にも言及し、文化基本計画と大阪文化芸術フェスの事業目的であるエンターテインメントとが、齟齬をきたしていることを指摘し、大阪府市で強まるエンターテインメント路線に対する警鐘を鳴らした。

　第10章では、以上の議論を参照しつつ、これまでの各章の論点とも関連づけ、本章の冒頭に記した「表現の自由を守るマネジメント」とはなにかを明らかにした。

今後の実践・研究課題

　第1に、文化条例の動向の2010年代以降のリサーチである。第6章で、文化庁の補助金不交付決定が、社会的文化権（憲法25条）の問題として議論できることを指摘した。そのなかで、文化条例の動向も紹介し、筆者は、拙著「第1編第1章 各自治体の文化条例の比較考察」[1]を引用し、2005年から2010年にかけて、文化条例の策定にあたり、文化政策研究者が、文化権規定をはじめ進歩的な影響を与えていたとした。ところが、2010年代以降の文化条例について、「内容不関与の原則」に関する規定に見る限り、そうした傾向が途絶えたように見受けられた。他の規定でも同様の傾向がみられるのか、文化政策研究者らに手抜かりはないのか、こうした傾向に、2017年文化芸術基本法改正が拍車をかけないか、今後の研究課題としたい。

　第2に、2つの論点「税金を使い、政治性・社会性の強い芸術作品を展示・公演することが、芸術祭・美術館・劇場等で認められるのか」「文化庁の補助金不交付決定が認められるのか」に関する世論の分断・溝をいかに埋めてい

くのかである。JNNの世論調査では、「文化庁の不交付」を適切とする見解が多い。筆者が勤務する大学の大学院生・学部学生に、本書で詳述した事実や分析を摘示しても、賛否が拮抗した。なぜなのか。講義での現場の学生の意見を手掛かりに、考えてみたい。

1つ目の論点、「税金を使い、政治性・社会性の強い芸術作品を展示・公演することが、芸術祭・美術館・劇場等で認められるのか」について、否定する学生の多くは、税金を使う以上は、政治性・社会性の強い表現は認められないとする。もう少し子細に学生の理屈を見ると、安全上の担保がはかれない、市民の心を傷つけるなどだ。一部の首長・政治家、第8章で紹介した経済学者田中秀臣らと同じ論だ。しかし、第3章で、全米反検閲連盟（NCAC）の「A Manual for Art Censorship」(芸術への検閲マニュアル)」を紹介したとおり、いずれの根拠も権力者が検閲するための方便として使われ、ネットなどで喧伝されてきたことである。

それに対して、賛成する学生は、表現の自由が多様であることが社会を豊かにしていくとの論だ。だからこそ、税金を使う意味があるとするのだ。税金というロジックは、公の場での政治性の強い表現の賛否いずれにも理屈づけられることは、押さえておきたい。

2つ目の論点「文化庁の不交付が認められるのか」については、1つ目の論点で、政治的な表現を認めないとしたものは、文化庁の理屈を容認し、不交付を認めるとしたものが多かった。逆に、1つ目の論点で、政治的な表現を認めるとしたものの多くが、不交付を認めないとした。ただ、1つ目の論点で政治的な表現を認めないとしながらも、「専門家が認めたことを文化庁が覆すのがおかしい」として、文化庁の不交付を不適切とするものも少なからずいた。

2つの論点に関する世論の対立を突き詰めると、税金を使っているのだから、一部の人が不快に思う表現を許すべきでないと考えるのか、表現の自由の多様性を大事にするのかに根本的な対立点があることも見えてくる。「『表現の自由』という理屈はわかるが、不快な感情を消すことはできない」と揺れる心情を赤裸々に吐露する学生がいた。今後も、講義・ゼミ、シンポジウムなどで、学生、市民と表現・芸術の自由の意義、公共性について語る場を

積極的に作っていきたい。

　第3に、電凸対応策の共有のサポートである。あいちトリエンナーレ2019の展示再開時の電凸対応策が実効性を示せたこと、それを共有していくことの必要性を第10章で指摘した。だが、あいちトリエンナーレ2019の電凸対応策を、そのまま真似れば足りるというわけではない。危機管理意識を共有し、当該組織・現場にいかに落とし込んでいくのかが問われてくる。そうした実践・取り組みをサポートしていきたい。

　4つ目に、都市型芸術祭のボランティアのあり方の考察である。

　あいちトリエンナーレ2019のボランティアは、閉幕後自発的に「あいトリ同好会」という約150名程度のライングループを作り、情報共有と意見交換を行っている。そうしたライングループとのつながりを踏まえ、津田は、インタビューで都市型芸術祭のボランティアの可能性を語ってくれた[2]。

　　11月1日にボランティア有志のお疲れさま会、4日にオフィシャルのボランティア交流会が、ありました。「もっと話したい。多くの人たちが参加する会がいい」と思い、4日のスピーチで、「忘年会をやりましょう」と話しました。11月の交流会や12月の忘年会をやったことで、「このコミュニティを次につなげるのが大事だ。次回の芸術監督が決まったら、このコミュニティに参加してもらい、この高いシティズンシップを持つ良い雰囲気のコミュニティごとバトンを渡すのが、自分の責任だ」と思ったのです。

　　僕自身、いろいろなコミュニティに属していますが、規模的にも参加者の多様性という意味でも、他にないコミュニティができていると思います。「愛・地球博」は、当時バラバラだった愛知県のNPOセクターがまとまるきっかけとなり、多数のボランティアが参加しました。あいちトリエンナーレのボランティアには、「愛・地球博」の流れの人が結構いるそうなんです。（これまでも）いろんなグループがあり、流れがあり、そんなに大きくなく、バラバラで存在していたのですが、そういう人たちを横串でつなげて集める仕組みとして、芸術祭はうってつけなんですね。

　　こうした盛り上がりがあるのも、過去3回の種まきがあったからこそです

よね。会期終了後も盛り上がる「あいトリ同好会」のライングループが面白いのは、2割ぐらいの参加者が実はボランティア経験者ではないんです。観客としてあいトリに来て、サナトリウムやあいトリ関連のイベント、ツイッター上の交流でお互いに知り合って、このコミュニティに参加した。そうした参加者の方たちは口々に「次回は自分もボランティアをやりたい」といってます。通常こうしたボランティアコミュニティは固定化しがちですが、今回観客を巻き込んでコミュニティを広げられたのが決定的に重要なんじゃないかと。この動きを次につなげていくのが大事だと思います。

名古屋、愛知は大きい。だからこそ、芸術祭の運営のように、範囲を絞って関わるまちづくりの参加の仕方が、理にかなっていると思うんですよね。範囲を絞ることで自分が、まちづくりの一員として関われる実感をもちやすい。アートだけでなく、日本全国の様々なコミュニティをジャーナリストとして取材してきました。いい面も悪い面も知っているからこそ、あいトリ同好会はうまくコミュニティの運営ができているなと思いますし、大きな可能性を感じます。

あの（北川）フラムさんのモデルは、里山型でないと成り立たない。彼らには必然性がある。越後妻有にとって、アーティストは重要な存在です。しかし、ボランティアとして関わっている人は必ずしも現代アート好きではないんですよね。現代アートを見に行かない人もたくさんいる。

でも、当たり前ですが芸術祭は都市でもできる。むしろ、ベネチア・ビエンナーレがそうであるように、芸術祭の起源は都市にあるわけです。愛知県は過疎地と比べて、交通の便もいいし、人口も多いし、文化力も高い。でも、現代美術の巡回展は、ほとんどが東京と大阪しかやりません。だから愛知県の"現代美術好き"は地元で開催される現代美術の展覧会に飢えているんですよ。現代美術をまとまってみられるのは、あいトリしかないですから。里山型と同じ地域づくりの誇りを持ちつつ、現代アートでつながる優れた観客コミュニティでもあるわけです。この両輪があることが、ライングループを支えており、あいちトリエンナーレを最後まで瓦解させなかったのだと思います。今後このコミュニティが大きく育っていくポテンシャルがあるわけで、それは愛知県が文化都市として成熟する可能性を秘めているという

ことでもあります。彼らのシティズンシップのあり方が今後どんどん発展していけば、僕は、越後妻有以上のことができる可能性があると思っています。その意味でも、やはりあいちトリエンナーレはボランティアと観客こそが主役だったのです。しかし、そうした事実は、なかなか外からは見えにくいですし、保守的な美術業界人には疎ましく見えるのかもしれませんね。でも、これだけは言っておきたい。あいちトリエンナーレにネガティブなことも多くありましたが、それ以上にポジティブな側面があったのです。それを知りたければボランティアや観客に聞いてみればいい——僕の言いたいことはこれに尽きます。都市型芸術祭が都市力を上げるという意味で、都市でのまちづくり、協働の可能性が、今一番あるのは、愛知なんじゃないかな。

　筆者は、2009年に開催されたあいちトリエンナーレ2010のプレイベントの際、愛知県職員として、ボランティア立ち上げに関わった。「愛・地球博」に関わったボランティアが少なくなかった。彼らの多くは、地域づくり・芸術文化よりも社会奉仕そのものへの関心が強いように思えた。あいちトリエンナーレ2010では、決められた業務でなく、自発的な活動をしたいというボランティアの意を受けて、「サポーターズクラブ」の立ち上げにも関わった。そうした活動が、長者町で、若者らやアーティストの活動に結び付いていった[3]。また、あいちトリエンナーレ2016では、会場の1つだったアートセンター「アートラボあいち」主催で、会期中「トリ端会議」が開かれていた。閉幕後、当時のボランティアが引き継ぎ、気軽に集まりおしゃべりする「トリ端会議」を立ち上げた。こうして小さなコミュニティによるさまざまな自発的活動が、これまでも見られた。
　あいちトリエンナーレ2019では、これまでの活動や様々なグループを包括するように、大きな集合体が生まれたのが特徴だ。また、「ボランティアが主役だ」という高い意識をもつ。2009年のプレイベント開催時に、地域づくりや芸術文化への関心がそれほど高くないボランティアに接していた筆者からすれば、隔世の感がある。総じて芸術文化への関心が高い。なによりも、「ボランティアが主役だ」と彼らと同じ目線で開幕前から接し続け、ボランティアに意識革命を起こすきっかけを作った津田の功績が大きい。今回ののっぴ

きならない事態で、だれもが主役として現場に立ち、自分たちが会場を支えた自負があるのだろう。ボランティアがボイコットすれば、会場運営が成り立たず、あいちトリエンナーレ2019は現場から崩壊したのだから。

　過疎地型芸術祭のボランティアは、東京をはじめとした都会の若者や、最近では、海外の若者たちだ。開催地に住む地域の人たちとは異なる。あいちトリエンナーレでも、長者町会場の地域の人々とボランティアとは別の存在だった。しかも、ボランティアは運営のわき役で、主役となるには、ボランティアの枠を飛び出し、独自にコミュニティを作り、活動体を作るしかなかった。ところが、津田芸術監督は、実感がないながらも、「ボランティアが主役だ」と開幕前から喝破していた。あいちトリエンナーレを始めとした都市型芸術祭では、ボランティアと地域の人たちが重なり、地域とアートの両方に通じた人材が育つ可能性がある。津田の言葉を借りれば、都市型芸術祭のボランティアのシティズンシップの潜在力を示したのが、あいちトリエンナーレ2019だった。しかも、津田は、「(都市型芸術祭の) こういうポジティブな側面、吉田さんが研究されている文脈で紹介されていくのは意味があると思います」とはなむけの言葉を送ってくれた。今後の研究課題として真摯に受け止めたい。

　第5に、芸術祭の運営体制である。第10章2で指摘したとおり、国内では、芸術祭の多くが、行政が主体となって担ってきた。ゼネラリストを育成する方針のもと、2、3年で異動するローテーション人事の弊害がある。そうしたノウハウが蓄積されない限界はこれまでも指摘されてきた。表現の自由の問題とは切り離し、海外のように財団による安定かつ恒常的なガバナンス（マネジメント）を検討する時期だ。海外の芸術祭の運営体制を参照しつつ、国内の現場と連携し、日本の最適解を探っていきたい。

〈注及び参考文献〉

1　「第1編第1章 各自治体の文化条例の比較考察」（吉田隆之，成文堂，前掲書，2017年a，19-20ページ）
2　2020年5月7日津田大介へのインタビュー。
3　吉田，前掲書，2015年. ［第1章 注151］

謝辞

　本書の第2章では、2019年10月に刊行した『芸術祭と地域づくり――"祭り"の受容から自発・協働による固有資源化へ』の第8章「『不自由』から『連帯』『寛容』へ」のほぼ全文をそのまま掲載した。当該章は、2019年8月17日（土）に長者町地区で開催された津田芸術監督のトークイベントを紹介し、「表現の不自由展・その後」の展示中止直後の当時の議論を整理した。2019年8月中旬までの動きを踏まえたものであるが、本書は、その続編として、2019年8月下旬以降2020年5月に至るまでのあいちトリエンナーレの事態を、改めて振り返り、総括したものとなっている。

　水曜社の仙道社長にお話をいただいたのは、4月上旬だった。急遽2か月程度で、これまでの研究成果を一部まとめる形をとりながら、ほぼ全文を書き下ろした。本来なら、多くの現場関係者に取材し、多角的な視点から客観的に分析をすべきところである。しかし、コロナ禍と時間的制約のなか、取材もままならない状況だった。それでも、津田大介氏（ジャーナリスト／あいちトリエンナーレ2019芸術監督）、相馬千秋氏（NPO法人芸術公社代表理事／あいちトリエンナーレ2019キュレーター）、中條雅和氏（市原市スポーツ国際交流部芸術推

進課長) にはご多用ななか、インタビューにご協力いただいた。また、大阪市立大学大学院都市経営研究科の学生には、草稿を読んでもらい、貴重なコメントをいただき、大いに役立った。修士の藤原祥太郎さんには、校正を手伝っていただいた。この場を借りて、改めて謝意を表したい。

　多様な視点、客観的な分析が不十分だとの批判は、すべて筆者の責任であり、甘受したい。本書への大方のご指摘、ご叱正をいただければ幸いである。

　最後に、本書の出版に尽力してくださった仙道弘生社長はじめ松村理美さん、佐藤政実さんにこの場を借りてお礼申し上げたい。

　本書の研究の一部は、JSPS 科研費 17K02371 "芸術一般" もしくは、20K12892 "芸術一般" の助成をうけ、実施した。

　また、本書と関連する論文は次の通りである。

　第9章 大阪市政調査会「大阪府市の文化政策―ReFreedom をめざして」『市政研究』205，2019年，14-23ページ.

吉田隆之

索引

参考資料・文献（同一年に複数発刊・発表）対照表

あいちトリエンナーレの あり方検証委員会	2019年a	「中間報告」
	2019年b	「別冊資料1データ・図表集」
	2019年c	「会議録（2019年8月16日）／議事概要（あいちトリエンナーレのあり方検証委員会 第1回会議）」
	2019年d	「会議録（2019年9月17日）／議事概要（あいちトリエンナーレのあり方検証委員会 第2回会議）」
あいちトリエンナーレの あり方検討委員会	2019年a	「『表現の不自由展・その後』に関する調査報告書」 （最終報告書） 「トリエンナーレにおけるアームズ・レングスの原則について」 「中間報告書に対する芸術監督からの意見」 「『表現の不自由展・その後』に関する調査報告書」に対する意見書
	2019年b	「『今後のあいちトリエンナーレ』の運営体制についての提言」
あいちトリエンナーレ 実行委員会	2019年a	「『表現の不自由展・その後』について津田大介芸術監督が会見を行った際に配布したステートメントです」
	2019年b	「『あいち宣言・プロトコル』起草の経緯について」Web
	2020年a	「あいちトリエンナーレ2019開催報告書」
	2020年b	『あいちトリエンナーレ2019情の時代 Taming Y/Our Passion』
あいちトリエンナーレ 名古屋市あり方・ 負担金検証委員会	2020年a	「あいちトリエンナーレ名古屋市あり方・負担金検証委員会報告書」
	2020年b	「あいちトリエンナーレ名古屋市あり方・負担金検証委員会報告書（参考）その他委員会の委員の個別意見」
	2020年c	「第3回検証委員会会議事録」
愛知県県民 文化局文化部 文化芸術課	2019年a	「あいちトリエンナーレのあり方検討委員会」Web
	2019年b	「表現の自由に関する国内フォーラムを開催します」Web
aichikoho	2020年a	「2020年3月23日臨時記者会見」動画
	2020年b	「2020年5月1日 臨時記者会見」動画
文化庁	2020年a	「令和元年度（第70回）芸術選奨文部科学大臣賞及び新人賞の決定について」Web
	2020年b	「別紙　令和元年度（第70回）芸術選奨受賞者一覧」Web
	2020年c	宮田亮平, 文化庁 「文化芸術に関わる全ての皆様へ／その他のお知らせ／広報・報道・お知らせ」（2020年3月27日）Web
	2020年d	「あいちトリエンナーレに対する補助金の取扱いについて」（2020年3月23日報道発表）

THE PAGE	2019年a	「『表現の不自由展』中止問題　検証委や出典作家らがフォーラムを開催」動画
	2019年b	「【ノーカット】あいちトリエンナーレ、検証作業の最終報告」（2019年12月18日）動画
NHK	2019年a	「『表現の不自由展・その後』中止の波紋」 『クローズアップ現代＋』（2019年9月5日）
	2019年b	「芸術祭への補助金不交付決定『手続き不適切』文化庁」 （2019年9月26日）
	2019年c	「かくて"自由"は死せり〜ある新聞と戦争への道〜」『NHKスペシャル』（2019年8月12日）
津田大介	2019年a	ツイッター（2019年8月4日）
	2019年b	ブログ 「あいちトリエンナーレ2019『表現の不自由展・その後』に関するお詫びと報告」
	2019年c	遠藤水城, 津田大介 「中間報告書に対する芸術監督からの意見」
	2019年d	椹木野衣, 津田大介 「中間報告書に対する芸術監督からの意見」
	2019年e	「『表現の不自由展・その後』に関する調査報告書」に対する意見書
	2019年f	「中間報告書に対する芸術監督からの意見」
桜井泉	2020年a	（取材後記）「あいちトリエンナーレ調査報告書 表現の多様性、守る姿勢いずこ 桜井泉」『朝日新聞DIGITAL』（2020年3月9日）
	2020年b	「解決されていない あいちトリエンナーレのあり方検討委員会の報告書は疑問点や問題だらけ」『論座』（2020年3月23日）
林春男	2008年a	「第9講 一元的な危機対応システム」林春男ほか 『組織の危機管理入門』丸善
	2008年b	「第2講 危機管理のための体制づくり」林春男ほか 『組織の危機管理入門』丸善
吉田隆之	2017年a	「第1編第1章 各自治体の文化条例の比較考察」『文化条例政策とスポーツ条例政策』成文堂
	2017年b	「第4編 文化条例研究資料」『文化条例政策とスポーツ条例政策』成文堂
	2019年a	「『不自由展問題』突然飛び火神戸市困惑　シンポ『政治的意図なかった』」『神戸新聞』（2019年8月10日）
	2019年b	「社会情勢の分析不十分」『共同通信』（2019年12月18日）
	2019年c	『芸術祭と地域づくり——"祭り"の受容から自発・協働による固有資源化へ』水曜社

吉田隆之（よしだ たかゆき）

大阪市立大学大学院都市経営研究科准教授。日本文
化政策学会理事、文化経済学会〈日本〉理事。東京
藝術大学大学院音楽研究科博士後期課程音楽文化学
専攻芸術環境創造分野修了。京都大学法学部卒、京
都大学公共政策大学院修了。博士（学術）、公共政策
修士（専門職）。1965年神戸市生まれ。愛知県庁在
職時にあいちトリエンナーレ2010を担当。研究テー
マは、文化政策・アートプロジェクト論。著書に『ト
リエンナーレはなにをめざすのか──都市型芸術祭
の意義と展望』（水曜社、2015年）、『文化条例政策と
スポーツ条例政策』（吉田勝光との共著、成文堂、
2017年）、『芸術祭と地域づくり──"祭り"の受容
から自発・協働による固有資源化へ』（水曜社、2019
年）ほか。

芸術祭の危機管理
──表現の自由を守るマネジメント

発行日　2020年8月1日 初版第一刷

著者　　　吉田 隆之
発行者　　仙道 弘生
発行所　　株式会社 水曜社
　　　　　〒160-0022 東京都新宿区新宿1-14-12
　　　　　TEL 03-3351-8768　FAX 03-5362-7279
　　　　　URL suiyosha.hondana.jp/
装幀　　　中村 道高（tetome）
印刷　　　日本ハイコム株式会社

全国の書店でお買い求めください。価格はすべて税別です。